EDICIONES
Lea

ॐ

Guías prácticas para vivir en armonía

Yoga

Yoga
es editado por
EDICIONES LEA S.A.
Bonpland 2273 C1425FWC
Ciudad de Buenos Aires, Argentina.
E-mail: info@edicioneslea.com
Web: www.edicioneslea.com

Redacción: Equipo coordinado por Josefina Segno. Volver al Yoga,
de León Ezequiel Martin (Ediciones Lea).

ISBN Nº: 978-987-634-004-5

Impreso en Argentina.
Primera edición, 4000 ejemplares.
Esta edición se terminó de imprimir en
noviembre de 2007 en Primera Clase Impresores.

Yoga / coordinado por Josefina Segno. - 1a ed. - Buenos Aires : Ediciones
Lea libros, 2007.
   128 p. ; 20x14 cm. (Guias prácticas para vivir en armonia; 3)

   ISBN 978-987-634-004-5

   1. Yoga. I. Segno, Josefina, coord.
   CDD 181.45

Yoga

La esencia del Yoga no se nos revelará a no ser que conozcamos sus orígenes, su significado, sus facetas, sus bondades y sus peligros. Al Yoga, antes de practicarlo, hay que conocerlo, respetarlo y amarlo. Cada postura del Yoga deberá ser realizada si de antemano comprendemos el significado que encierra y el resultado al que podemos acceder. Pero el Yoga es mucho más que un mero movimiento de nuestra musculatura.

Sólo si tomamos en cuenta su real importancia, alcanzaremos, dichosos, las bondades que nos tiene deparado.

Capítulo 1

¿Qué es el Yoga?

El origen

Como una reliquia oculta en las profundidades del tiempo, el Yoga no se ha inventado: se ha descubierto. El hombre no ha creado al dinosaurio, pero ha excavado con paciencia hasta encontrar sus huesos. Si descubrir significa destapar lo que está tapado o cubierto, se puede afirmar que el Yoga tiene un comienzo, aquel producido cuando fue hallado. ¿Pero cuál es su origen? ¿Quién lo ha concebido?

Si entendemos al Yoga como un estado de unión entre cuerpo, mente y alma; una disciplina espiritual y corporal que permite la expulsión de las tensiones y preocupaciones de la vida cotidiana, cuyo correcto ejercicio ofrece un estado de paz pocas veces alcanzado en otras circunstancias, es posible afirmar que el hombre y el Yoga están unidos por sangre y espíritu. Es la misma esencia. El hombre no ha inventado el Yoga: siempre estuvo en su interior. Como un arqueólogo tenaz, el hombre ha excavado en su propio ser hasta descubrir lo que siempre llevó adentro.

Pero si el Yoga ha nacido en y con en el hombre y, asimismo, debió ser descubierto, reconocido, es porque en algún momento de la vida humana existieron el olvido, la ignorancia, el ocultamiento. Como las numerosas capas de un árbol originadas a lo largo del tiempo, el hombre a descubierto una a una, desde la más cercana a la superficie hasta la más remota y oculta.

La rutina y los golpes de la vida diaria alejan a las personas de su verdadero yo, de su esencia más íntima. El primero de todos los golpes, aunque tierno y necesario, se produce con la palmada que nos dan al nacer. Con el primer llanto, nace el olvido. Paulatinamente nos aislamos de nosotros mismos para sumergimos en las exigencias que nos impone el mundo. El vientre de nuestras madres fue nuestra primera escuela de Yoga. Esta palabra, tan mentada en la actualidad, deriva de la raíz sánscrita *Yuj*, que significa unión. No es ni más ni menos que la unión del hombre con su propio cuerpo y alma, a través de posturas físicas y psíquicas que posibilitan tal estado de perfección y armonía. La primera vez que hemos podido alcanzar ese estado de pureza fue en el vientre de nuestras madres, ayudados por una postura física y espiritual que se rompió abruptamente al ver la desconocida luz del exterior.

Aunque no lo sepa de manera consciente, el hombre le dedica el resto de sus días a recuperar ese estado. Atareado en su trabajo, en sus obligaciones cotidianas, preocupado por la falta de dinero o corriendo sin pausa de un lado a otro, se aleja cada vez más de su propia esencia, pero en su inconsciente nunca deja de anhelar lo que le ha pertenecido. Se cree que avanzar es dirigirse vertiginosamente hacia delante. Se ignora que el mejor –y único– avance viable es aquel que nos permite la regresión reflexiva hacia lo mejor de nosotros mismos.

Ejercitando el Yoga es posible reconocer (nos), descubrir (nos). Por eso, esta guía no se propone inventar o reinventar el Yoga. Simplemente, volver a él.

El descubrimiento

Aunque la abundante bibliografía sobre el tema suela expresar que "el Yoga ha nacido en el siglo...", preferimos reemplazar el término *nacer* por el de *descubrir*, puesto que aquella palabra encierra significados muchos más profundos y metafísicos y, de ninguna manera, puede tener directa relación con una acción del hombre, como se pretende utilizarla en estos casos.

Ya se ha dicho: el Yoga nació y se creó en nuestro ser y el hombre lo que hizo fue haberse dado cuenta de ello hace miles de años. Existen contradicciones en este punto. Algunos sitúan el descubrimiento mucho antes del nacimiento de Cristo. Otros, entre los siglos IV y VI después de

Cristo. Max Müller, catedrático alemán, afirma que el Yoga tiene seis mil años de antigüedad. Hay libros que hablan de tres mil años. La profesora Indra Devi sostiene que se suele llamar "Padre del Yoga" a Patanjali por haber escrito lo que hasta entonces había sido comunicado oralmente, hacia el año 200 antes de Cristo. Eso sí, no hay dudas de que se originó en la India.

Aunque muchos piensen que se trata de una religión, de magia, o de espiritismo, el Yoga fue tomado, desde siempre, como un sistema filosófico. Es una disciplina enmarcada en la inteligencia y la razón y opuesta al ocultismo y la superstición. Sólo a través del pensamiento es posible acceder o dar respuestas a los misterios de la humanidad. El hombre descubrió, luego de años de estudio, cómo alcanzar el estado que lo acercara a un ideal de paz y pureza. Y lo bautizó con un nombre: Yoga.

Una antigua leyenda india refleja el aspecto milagroso del nacimiento del Yoga. En el Cielo, existía un dios llamado *Shiva* que, diariamente, le enseñaba a su esposa, la diosa *Parvati*, los secretos del Yoga. Había un pez que, escondido, no se perdía una sola clase de tal fascinante disciplina. Hasta que el dios lo descubrió y lo expulsó a la tierra. Luego de mucho andar, el pez llegó a las costas de India, y se transformó en hombre. Los pobladores lo recibieron con cortesía y lo llamaron *Matsyendra*, que significa "el señor de los peces". Agradecido, *Matsyendra* les enseñó los ejercicios que tan bien practicaba el dios *Shiva* y, así, el Yoga se expandió por toda India. Hoy, en honor al personaje de esta leyenda hindú, una posición de Yoga lleva el nombre de *matsyendrasana*, aunque los enemigos de toda fantasía sostengan que ese nombre se debe al viejo maestro que la creó, Rishi Matsyendra.

En Argentina, el Yoga comenzó a tener una fuerte presencia durante la década del 80. Esto no significa que anteriormente no existiera, pero se trataba de una disciplina que practicaban pocos y que era calificada por quienes no la conocían como "alternativa" o "excepcional", término empleado en el sentido de excepción, de raro, de insólito, y no como elogio.

Con los años, el Yoga empezó a hacerse habitual, frecuente. Proliferaron las escuelas que lo enseñaron. Cursos, profesores, libros, revistas, el Yoga ganó espacio y prestigio, se hizo conocido en todo el país.

De Oriente a Occidente

La distancia temporal y geográfica originó que, en la actualidad, el Yoga que se practica en este lado del planeta posea algunas diferencias con el de las primeras épocas y lugares.

Todas las actividades humanas, incluso las más conservadoras y hasta fundamentalistas, no pudieron dejar de adaptarse, en mayor o menor medida, al paso del tiempo y a los cambios de hábitat. La India de hace miles de años difiere en casi todo con la Argentina del Siglo XXI. En casi todo, menos en un aspecto primordial: el ser humano, en esencia, sigue siendo el mismo. De igual forma, la esencia del Yoga no se ha visto modificada. Sin embargo, es posible observar algunas ramificaciones, diferentes maneras de encarar la disciplina, según se practique en Oriente u Occidente, aunque en todos los casos persiga el mismo fin.

La calidad de vida de un individuo está sujeta a la realidad, cultura y tradición del país en que se mueve. En Occidente, el hombre va perdiendo, poco a poco, la estrecha relación con la naturaleza que, por su condición de ser vivo, le corresponde. El cemento va invadiendo el espacio que le pertenece al verde. Las ciudades son cada vez más grises. El humo de chimeneas y caños de escape, al igual que los enormes edificios, impiden una visión clara del cielo. ¿Cuánto hace que no sentimos el repetido cantar de un grillo o el rítmico aleteo de una paloma? Hoy, los sonidos con más presencia en las grandes metrópolis son las bocinas y rugidos de los coches. Este panorama inexorable provoca que el hombre padezca situaciones de estrés, tensión, nerviosismo. Y aunque no nos demos cuenta, estos padecimientos no solo afectan la psiquis y el espíritu, sino también el físico. Nuestras habituales posturas corporales distan mucho de las ideales. Podemos permanecer sentados todo el día delante de una computadora. O trajinar sin cesar por las atiborradas calles. De una forma o de otra, nuestro cuerpo nos pide a gritos, aunque no logremos escucharlo, un cambio.

Debido a esto, el Yoga que se practica en Occidente es el que más hincapié hace en las cuestiones físicas. Como una gimnasia cualquiera, este Yoga no descuida el aspecto corporal. Pero a diferencia de cualquier otra gimnasia, le suma aquello que es intrínseco a cada disciplina del Yoga: el cuidado del espíritu. Este tipo de Yoga se denomina *Hatha* y será el que esta guía analizará en detalle, tanto en el terreno teórico como en el práctico, con el fin de acercarlo a cada lector interesado en recuperar lo que le es propio.

Tipos de Yoga

Además del *Hatha*, existen otros tres tipos principales de Yoga: el *Laya Yoga*, el *Diana Yoga* y el *Raya Yoga*.

Hatha yoga

Ha significa Sol y *tha* quiere decir Luna. El Sol es la fuera positiva, activa, masculina. La Luna es la fuerza negativa, femenina. Sabemos que Yoga significa unión. Del encuentro entre las dos fuerzas se encontrará el equilibrio entre la actividad y el reposo.

El *Hatha* es el Yoga clásico que se practica en la Argentina. Está basado en el control de la respiración y de las posturas del cuerpo. Logrando la exacta combinación de ambas es posible arribar a una vitalidad plena, algo así como a una energía interna y externa, unidas en su raíz, como si caminaran de la mano. La vida no se entendería en toda su plenitud si no existieran nuestra energía orgánica y física y nuestra energía espiritual. De la misma manera, nuestro planeta no hubiera tenido la chance de formar parte viva del universo sin la presencia directa de la energía emanada del Sol y de la Luna. Si la Tierra es nuestra casa y necesita de ambos astros para su existencia, también debemos pensar a nuestro cuerpo y alma como el hogar que habitamos. Cuanta más atención le dediquemos mejor será nuestra calidad de vida.

Laya Yoga

Para definirlo rápidamente y con un lenguaje sencillo, puesto que es una de las ramas más sofisticadas, el *Laya Yoga* hace hincapié en la fuerza de voluntad, en el control de la mente mediante técnicas más ligadas a la meditación que a los ejercicios físicos. Los ejercicios, en esta disciplina, son absolutamente mentales.

Dhyana Yoga

Al igual que el *Laya Yoga*, esta disciplina también se fundamenta en la meditación. Posee estrecha similitud con los sistemas de pensamiento del Taoísmo de China y del Budismo de Japón.

Raya Yoga

También mediante ejercicios mentales, el *Raya* privilegia la inteligencia, la que puede ser llevada a límites nunca antes imaginados. Activando complejos mecanismos de concentración, es posible alcanzar un dominio completo de la mente y del cuerpo, y desarrollar una gran capacidad de intuición.

A excepción del *Hatha*, las demás ramificaciones del Yoga poseen un grado de complejidad tal que la obtención de los beneficios que brindan puede deparar varios años o toda una vida. Son disciplinas más ligadas a aquellas culturas orientales que hacen del Yoga no solamente un ejercicio de bienestar, sino una forma de vida. Gente que no hace Yoga, sino que vive por y para el Yoga. Estas cuatro divisiones confluyen en el llamado *Raja Yoga*, que significa "real", "superlativo". Sólo algunos elegidos pueden acceder a semejante honor.

Que el *Hatha Yoga* parezca fácil de realizar, no significa que siempre se practique con corrección, y mucho menos que sus resultados no satisfagan como podrían hacerlo las otras ramas del Yoga.

El *Hatha* no es una disciplina menor. Es la base de todas las demás. De ahí su nobleza e importancia. El *Hatha* es la única rama recomendable para quienes desean empezar en el Yoga. Sus beneficios no siempre son inmediatos, pero sí alcanzables.

Capítulo 2

Los ocho mandamientos

Reglas básicas

En todos los niveles del Yoga existen, al menos, ocho reglas básicas, denominadas con términos hindúes:

- **Yama:** Es el primer paso. Significa autocontrol.

- **Niyama:** Casi como un deber religioso. Se trata de proceder con pureza, sin vanidad.

- **Asana:** Las posturas del cuerpo en el ejercicio del Yoga.

- **Pranayama:** Se denomina así al sistema por el cual es posible controlar la respiración.

- **Pratyahara:** Lleva a la introspección, mediante el recogimiento de la conciencia.

- **Dharana:** Los ejercicios de concentración.

- **Dhyana:** Meditación sobre la divinidad.

- **Samadhi:** El desarrollo de la intuición.

Aquellas personas que consigan un correcto desarrollo de cada una de estas reglas fundamentales del Yoga alcanzarán el dominio sobre su propio cuerpo, mente y espíritu. Pero la conciencia de haber arribado a semejante estado de pureza no se da de un día para el otro. Se trata de trabajar cada regla con la mayor tranquilidad y paciencia posibles. Los resultados llegarán de a poco, casi sin darse cuenta. El Yoga no es un invento comercial que promete usufructos al instante y se vende en cualquier supermercado. No es una rama de la magia en la que el solo accionar de una varita posibilita beneficios inmediatos. No es una secta de fanáticos en donde la devoción ciega hacia alguna falsa doctrina implica el conocimiento presuroso y apresurado de una supuesta verdad. No es una religión monoteísta o politeísta a la cual haya que ofrecerle oraciones o sacrificios para acceder rápidamente a las respuestas de los grandes interrogantes de la humanidad o la salvación misma. No, el Yoga no es nada de eso. Se ha dicho que es un movimiento filosófico, científico, basado en el propio interior del hombre. ¿Cuánto tarda un ser humano en conocerse a sí mismo? Acaso toda la vida, y hasta en el final le faltarán zonas por descubrir. Eso es el Yoga: el conocimiento de uno mismo, a lo largo del tiempo.

Porque sólo lo que se consigue con esfuerzo, constancia y dedicación, será importante y duradero. Lo demás es efímero.

La mejor herramienta

Cuanto más rápido corre el mundo, menos paciencia tiene el hombre. Símbolos de estos tiempos, la rapidez y la inmediatez son capaces de dominar nuestro carácter, convirtiéndolo en vulnerable. La necesidad de obtener resultados inmediatos nos hace acudir a promocionados sistemas artificiales. En el terreno de la salud, esta característica es más que evidente: hay remedios y medicamentos para cualquier dolencia.

Los hombres y mujeres con trastornos ya no son pacientes; son clientes. Lo que pretende el Yoga es que volvamos a sentirnos personas. Si somos capaces de manifestarnos personas en el más amplio y sagrado sentido del término, pues entonces no necesitaremos de los falsos productos mágicos que, como cualquier magia, sólo venden una ilusión, un truco que, si bien otorga esperanza, también otorga desengaño.

En nuestro propio cuerpo están las respuestas para ciertas dolencias físicas. Por lo general, muchas personas con dolores de espalda y dificultades con su columna vertebral acuden al Yoga por sus bondades gimnásticas. Las distintas *asanas* (posturas) que ofrece brindan un efecto curativo o paliativo a aquella gente que padece problemas físicos por el estilo. Pero el Yoga va mucho más allá. Su correcta utilización nos permitirá no sólo poseer un cuerpo sano, sino también un estado espiritual acorde con la esencia del ser humano. El Yoga no es sólo una gimnasia. Es una añeja filosofía que puede ser aplicada a las necesidades variadas de cualquier persona, sin importar sexo o edad.

Las *asanas*, además de contribuir al mejoramiento de músculos y huesos, es decir, a la superficialidad del individuo, es efectiva para normalizar las funciones del organismo, ya sean respiratorias, circulatorias o digestivas. Sin embargo, el Yoga no promete lo que no puede cumplir. No existen en el Yoga recetas milagrosas. El Yoga, por sí solo, no cura. Debe ser mirado como una herramienta que, según su nivel de utilización, nos dará la posibilidad de calmar nuestras dolencias físicas, orgánicas y mentales, y lo que es más importante aún: prevenirlas.

Los chakras

La energía (*prana*, en hindú) de nuestro cuerpo nunca está quieta. Necesita de un constante movimiento. Del traslado que nosotros mismos seamos capaces de darle, dependerá nuestro bienestar a través del Yoga. Se trata de un viaje interior con destino a la plenitud.

Pero toda energía debe ser encauzada. Nuestro propio cuerpo le suministra rutas, un camino por donde moverse. Ese camino se denomina *chakras*. Son puntos ubicados a lo largo de la columna vertebral, desde el cráneo hasta la vértebra más baja. Esta línea constituye el sostén de la vida.

La corteza craneana representa el polo positivo que, según la filosofía Yoga es el lugar en donde habita el dios *Vishnu*, es decir, el espíritu. La vértebra más baja, por su parte, es el polo negativo, sitio dominado por *Kundalini*, símbolo de la naturaleza.

Así, *Kundalini* sería como la zona de arranque y *Vishnu* como el destino de este fantástico viaje. Un recorrido de abajo hacia arriba. Un encuentro entre naturaleza y espíritu. Entre estos dos *chakras*, que podríamos denominar estaciones, al igual que cualquier estación de tren, se encuentran cinco *chakras* más. O sea, cinco sub-estaciones por donde circulará la energía.

Los siete *chakras* se representan con figuras de pétalos, como flores. A excepción del *chakra* ubicado en el entrecejo, que posee dos pétalos, el número de pétalos va creciendo a medida que se avanza de *chakra* en *chakra*. Arranca con un número de cuatro pétalos y termina con mil.

La ascensión hasta el *chakra* mayor se produce mediante ejercicios de concentración. El avance tiene que ser paulatino, deteniéndose en cada parada. A medida que se avanza, se accede a nuevos estados de conciencia, a experiencias nunca antes conocidas, gratificantes. La llegada al *chakra* mayor, es decir, el encuentro entre *Kundalini* y *Vishnu*, permite la obtención de un nivel de conciencia superlativo, insuperable.

Hay culturas que sostienen que existen siete cielos, y que Dios se aloja en el séptimo. El alma del hombre, una vez que abandona en la Tierra el cuerpo que ese mismo Dios le entregó, avanza, según sus méritos, de cielo en cielo, hasta alcanzar, acaso, el paraíso mayor. Para el Yoga, no hace falta morir para acercarse a Dios. El encuentro con la divinidad se consigue cuando se llega al *Vishnu*. Este estado de gracia se denomina *samadhi*, algo así como la unión entre el sujeto y lo absoluto.

El Yoga que se practica en nuestros países, es decir, el *Hatha Yoga*, constituye la base del conocimiento para acceder al recorrido completo hacia la beatitud. Los cambios que se pueden experimentar no sólo son mentales y espirituales, también son físicos y orgánicos.

Los ejercicios que permitirán este estado, difíciles pero posibles, jamás deberán ser realizados sin la guía de un profesor avezado. Mal ejecutados, pueden resultar peligrosos.

El prana

La energía es un factor fundamental en todo ser viviente. Se ha dicho que responde al nombre de *prana*. Se encuentra en el aire en forma de fluido. Recoger esa energía e introducirla en nuestro organismo es una tarea imprescindible para la vida. Es necesario afirmar que sin *prana* no hay vida.

No hace falta hacer Yoga para ingerir el *prana*. Lo hacemos desde antes de nacer, a cada instante, casi sin darnos cuenta. Porque el *prana* se ingiere cuando respiramos. Pero al hacerlo de manera inconsciente, desaprovechamos la energía introducida. Lo que permite el Yoga es la utilización correcta de nuestro proceso respiratorio. Trasladarlo de la inconsciencia a la conciencia. El aprendizaje o el control de la respiración responde al nombre de *pranayama*.

El ser humano utiliza un escaso porcentaje de su capacidad pulmonar. Con el *pranayama* llenaremos nuestros pulmones de energía y le podremos dar un cauce para que actúe, no sólo sobre nuestro organismo, sino también sobre nuestra mente y espíritu.

Es posible dominar el *prana*. Pero para lograrlo hay que aprender a respirar de una manera diferente de la ordinaria. Si respirar es un hecho sagrado, indispensable para seguir viviendo, podremos entender las relevancias física y espiritual de tal acción. El yoga lo ha entendido, y así lo profesa como uno de sus mandamientos fundamentales, como un pilar en donde se sostienen los demás puntos de esta disciplina tan abarcadora, pero, por eso mismo, tan completa en cuanto a las bondades que ofrece. La actitud corporal es importantísima si pretendemos encauzar correctamente el aire que respiramos. Los pulmones necesitan espacio para llevar a cabo su función. Si se encuentran aprisionados a raíz de una espalda curvada o de un pecho rehundido, se verán limitados para la realización de su tarea. Por lo tanto, la columna vertebral deberá estar siempre en posición elástica, equilibrada, erguida, en línea recta con la cabeza, el cuello y el tronco.

Así, mediante una correcta postura física y los ejercicios respiratorios adecuados, que este libro divulgará en su parte práctica, lograremos aprisionar la energía del aire. Nuestro cuerpo, es decir lo palpable, lo tangible, ingiere la energía invisible del aire. De esta forma, se consigue la tan ansiada unión que aspira el Yoga. Cuerpo y energía confluyen y se convierten en una misma cosa. Se mimetizan, se funden y confunden, se entrelazan. Si logramos concretar este encuentro, y a su vez ser conscientes de ello, ya no seremos los mismos. Seremos mejores.

Respiración y alimentación

Así como respirar es algo mucho más profundo que inhalar y exhalar de manera automática o inconsciente, comer no es sólo la asimilación de alimentos.

De la comprensión de nuestros actos depende nuestro crecimiento como personas. Respiramos y comemos. Pero al no entender la importancia de estas acciones, desaprovechamos los mayores resultados que podrían depararnos, mientras que ignoramos sus aspectos milagrosos, sagrados.

El Yoga hace mucho hincapié en la alimentación. No sólo en la calidad de lo que se come, sino también en la forma de comer. La mesa puede estar servida con los mejores alimentos otorgados por la naturaleza, pero de nada sirven si se comen con desprecio.

Al despreciar los alimentos, nos despreciamos a nosotros mismos, si los comemos con apuro, agitación, nerviosismo, síntomas de estos tiempos modernos. Se ha dicho, el ritmo de vida de nuestras sociedades actuales atenta contra nuestro propio bienestar. El Yoga está para contrarrestar los efectos negativos que nos terminan devastando poco a poco. Hay que hacerse tiempo para el Yoga. Y el Yoga se encargará de retribuirnos ese noble gesto.

Lo primero es hacernos tiempo para comer. El yoga aconseja:

- Comer sentado, con la espalda pegada al respaldo de la silla, postura elemental en el ejercicio del Yoga.

- Sentirse tranquilo, relajado. La tensión nerviosa paraliza la elaboración orgánica de los jugos gástricos, necesarios para una adecuada digestión.

- No comer en forma abundante. Es tan negativo comer deprisa como hacerlo en exceso.

- No privarse de las comidas favoritas, puesto que comer es un acto que debe ser disfrutado.

- Masticar lenta y minuciosamente. Si los alimentos se mastican correctamente el trabajo del aparato digestivo se verá facilitado.

En cuanto a la calidad de lo que se come, el Yoga no aconseja la privación de carnes, como muchos pueden suponer. Para hacer Yoga no hace falta ser vegetariano. El Yoga, por definición, busca el equilibrio en cada aspecto de la vida humana. La alimentación no está exenta. El Yoga sugiere, pues, equilibrar las comidas con el fin de obtener las proteínas y vitaminas que requiere nuestro cuerpo.

Todas las religiones les dedican a sus dioses oraciones de gratitud por los alimentos concedidos. El Yoga no es una religión, pero le adjudica a la comida −y al acto de comer− el mismo valor sagrado.

Las asanas

El Yoga le otorga un valor vital a la postura física. Así como para los ejercicios respiratorios, en los demás ejercicios es rigurosamente necesario que la columna se mantenga derecha.

El ser humano ha nacido con la espina dorsal extendida en forma vertical. Esto, para el Yoga, es considerado una gracia divina que nos diferencia de los animales, cuya espina dorsal se extiende horizontalmente. La posición recta, además de saludable, constituye un vínculo entre la Tierra y el Cielo. A través de las *asanas*, término hindú que significa postura, lograremos revertir no sólo las dificultades físicas, sino también orgánicas y espirituales. No se trata solamente de un juego de palabras: las *asanas* sanan. Desde lo visible y palpable hacia nuestro interior. La energía que respiramos, los alimentos que comemos, los objetos que miramos. Todo pasa, primero, por el filtro de nuestro cuerpo. Es por eso que no debe ser descuidado.

Pero, atención: el Yoga no reemplaza a la medicina tradicional. Es más un complemento que una sustitución. Aunque sí debe afirmarse que la buena y constante práctica del Yoga nos hará visitar con menor frecuencia al médico, teniendo en cuenta su eficaz acción preventiva. Después de algunos meses de dedicación al Yoga comprobaremos que ya no será necesario seguir consumiendo nuestros medicamentos habituales. El botiquín de remedios, de a poco, irá cayendo en un afortunado olvido.

El cuerpo no es sólo un envase. Es el elemento visible y primario de los ejercicios del Yoga. Si nuestras posiciones son incorrectas, todo lo posterior será desaprovechado. De ahí la importancia que posee el *Hatha Yoga*, la rama del Yoga que más hincapié hace en las posturas del cuerpo y que constituye la base para las demás facetas de esta ciencia milenaria.

Una *asana* bien realizada tiene que reunir algunas características: firmeza, comodidad, concentración, respiración correcta y relajación.

Más adelante veremos con detenimiento las *asanas* más importantes a tener en cuenta.

El amor y el sexo

Si el Yoga, por definición, es la unión entre mente, cuerpo y espíritu, las relaciones entre hombres y mujeres constituyen para esta disciplina la concreción más acertada de tal definición teórica. Es cierto que el Yoga es una práctica individual, pero su objetivo es que el aprendizaje de cada persona pueda ser trasladado a una vida comunitaria, incluyendo las relaciones de pareja.

Uno de los placeres mayores del hombre y de la mujer está emparentado con el instinto sexual. El Yoga no disminuye o anula los instintos; los desarrolla y los potencia. Más aún: un instinto puede ser incontrolable, ingobernable, rebelde, salvaje. El Yoga pretende que podamos conquistar nuestros instintos para encauzarlos no sólo en su natural terreno de sensaciones, sino también en el de la razón. No hay nada más placentero que ser conscientes de nuestros instintos, una de las tantas diferencias con el mundo animal.

El Yoga es una fuente de naturaleza y energía. El amor y el sexo también lo son. Esa naturaleza y esa energía, depositadas en cada uno de nosotros, podrán ser utilizadas en todo su esplendor mediante las enseñanzas del Yoga.

Así como las *asanas* curan y previenen diversas dolencias físicas y orgánicas, también son efectivas para los problemas de fertilidad, impotencia, escasez de deseo sexual, insatisfacción, frigidez y eyaculación precoz, entre otras dificultades de índole sexual.

El Yoga nos enseña que el amor y el sexo son un acto de generosidad y reciprocidad. Y también de armonía. Nada parece tan armonioso y equilibrado como el ejercicio de las *asanas*. Pensemos al sexo como *asanas* de a dos, en donde la cadencia de movimientos se potencia al doble.

Atareados como estamos en nuestras sociedades dominadas por el vértigo y la deshumanización, el sexo, para muchas personas, se convirtió en un mero acto en el cual lo único que importa es el rápido goce individual, apenas un recreo al cual no se le otorga más valor. Ejercido de esta forma, el sexo dejó de ser sinónimo de buena salud. Haciéndole caso a las enseñanzas del Yoga el sexo recobrará la importancia que nunca debió perder.

El Yoga pretende que se goce con el sexo y con cualquier otra faceta de la vida, pero dentro de un marco en el cual no pueda filtrarse ningún elemento contaminante que siempre termina por provocar la disminución de los placeres. El yoga nos hace más humanos. Y esa es la única manera de alcanzar una verdadera felicidad.

Capítulo 3

Yoga y budismo

La unión de dos filosofías

Una de las aristas fundamentales del Yoga es la meditación. A través de una asana determinada, que posteriormente analizaremos en detalle, se puede acceder a un estado de reflexión, cavilación y retiro, palabras que el budismo sintetiza en una sola: salvación. Y la salvación se consigue a través de la meditación, objetivo esencial del budismo.

El Yoga es una doctrina independiente del budismo, pero en este punto ambas filosofías encuentran su unión. Se trata de explotar al máximo los resultados que ofrecen los ejercicios físicos y mentales. De su fusión conseguiremos olvidarnos de los problemas de la vida cotidiana, intrascendentes para el Yoga y para el budismo.

El gran Buda, palabra cuyo significado es "iluminado", fue el fundador de esta doctrina filosófico-religiosa que hoy recibe su nombre. La predicó durante 35 años, en la India, entre el 560 y 480 antes de Cristo.

En la India, el budismo es tan importante como lo es para los habitantes de estas latitudes la tradición judeo-cristiana. No necesariamente una creencia debe reemplazar a la otra. No se trata de competir. Lo mejor es adoptar aquellas verdades, por más lejanas culturalmente que pudieran parecer, que nos permitan obtener una mejor calidad de vida.

Para Buda, existen cuatro verdades sagradas:

1) La vida es nacimiento, enfermedad, muerte, sufrimiento y dolencia.

2) El sufrimiento se produce por el sólo hecho de existir.

3) Con la eliminación del sufrimiento nos acercaremos a la salvación.

4) El camino para salvarse se compone de ocho estadios: conocimiento recto, intención recta, habla recta, conducta recta, vida recta, esfuerzo recto, pensamiento recto y concentración recta.

El budismo, y también el Yoga, no prometen la cesación del dolor. Pero sí la eliminación del sufrimiento. Por ejemplo: si nos pinchamos un brazo con un alfiler, nos dolerá. Sentiremos el dolor que produce el pinchazo. Pero se trata de un dolor físico, de una mera sensación directamente relacionada con nuestros sentidos superficiales. Pero el sufrimiento es algo mucho más profundo, acaso metafísico. Con la meditación que el budismo y el Yoga aconsejan no sentiremos más dolores que los externos. El sufrimiento habrá sido eliminado de nosotros, lograremos sumergirnos en lo que el budismo denomina *Nirvana*. Así, nuestras preocupaciones habituales, tan banales si las pensamos con hondura, habrán desaparecido, pues habremos adquirido los conocimientos adecuados para dominar nuestra mente y, a partir de ella, nuestros pensamientos, ansiedades y frustraciones.

Para los orientales, la meditación es como contemplar el vuelo de un pájaro. Como el ave en el cielo, hay que dejarse ir, que es lo mismo que expresar: hay que dejarse ser.

Hemos dicho, páginas atrás, que existen varias corrientes de Yoga. La meditación, es decir los ejercicios mentales, está más relacionada con aquellas ramas que profesan un Yoga cerebral que con el Yoga físico practicado en Occidente. Sin embargo, el *Hatha*, o sea el Yoga que más hincapié hace en el aspecto físico, consigue mediante una de sus asanas la base perfecta para practicar los ejercicios mentales que el budismo enseña.

Más adelante seguiremos hablando de la meditación y de la técnica a emplear para un óptimo aprovechamiento de los ejercicios, pues se trata de una de las facetas más relevantes del Yoga.

Cambio de hábitos

El Yoga no hace milagros: si la gente no se cuida, no modifica sus malos hábitos, no debe esperarse mucho de esta disciplina. No se trata de aislarnos, de vivir alejados de la comunidad, de despertarse un día y olvidarse de lo que fuimos hasta anoche para cambiar radicalmente todo lo que éramos, lo que hacíamos, lo que pensábamos. No, no se trata de realizar un sacrificio semejante. Sólo de tomar conciencia y, a partir de ahí, de tomar partido, de actuar en consecuencia, de saber cambiar lo que nos causa daño y mantener lo que nos gratifica. Se trata de alejarse un poquito de todo lo que nos resulta nocivo y acercarnos, también de a poco pero con decisión, al ámbito de la pureza, esa que sólo puede ser lograda mediante la Salud y la belleza que el Yoga propone con su sabia y milenaria filosofía. Es decir, significa aproximarse a la vida, esa palabra tan mentada como maltratada, que un día desaparecerá del diccionario, definitivamente, pues la habremos matado. Pero esa palabra nos abarca a todos. Si la maltratamos nos maltratamos. Vivimos en ella. Existimos en la vida. Cuidarla es cuidarnos. El Yoga nos dirá cómo hacerlo, nos mostrará el camino que, repetimos, acaso al principio no será fácil, ya que hay pocas cosas más complejas como cambiar un hábito que llevábamos dentro casi desde el mismo momento de nacer. Pero será posible, siempre y cuando sepamos apelar a nuestra inteligencia y poder de voluntad.

Un mal hábito puede ser el de tener casi permanentemente la espalda doblada, inclinada, acaso porque estamos sentados delante de un monitor de computadora. Una jornada laboral de, al menos, seis horas, que nos obligue a adoptar una postura semejante ante un teclado, es altamente perjudicial no sólo para la columna vertebral, sino además para todo el cuerpo.

Otra conducta nociva tiene que ver con la respiración. Respiramos mal, insuficientemente, por no introducir la cantidad de aire necesaria en nuestro organismo y desaprovechar, así, la totalidad de la capacidad pulmonar. Y respiramos mal, por otra parte, porque el aire de nuestras ciudades está viciado de residuos químicos y tóxicos.

Vivimos en constante estado de estrés, fatiga, ansiedad, preocupación, nerviosismo, excitación. Son conductas que también deben ser modificadas. Es difícil: nadie está estresado a propósito, porque le gusta, porque lo desea. Pero existen técnicas capaces de mejorar nuestro estado mental y espiritual en provecho de una serenidad que nunca debimos haber perdido, pues se trata de una de las condiciones básicas del ser humano.

La alimentación también tiene sus secretos. Ya hemos dado cuenta unas páginas atrás, a modo de adelanto, de algunos aspectos relacionados con la comida y con la forma de comer. Luego, analizaremos otros, de manera más precisa y detallada, con el fin de obtener más información al respecto y poder mejorar nuestra calidad de vida, en todos los sentidos.

Conductas nocivas más frecuentes

Resumiendo, éstas son las conductas nocivas más frecuentes:

- Una mala postura.

- Una deficiente respiración.

- Un estado de agotamiento y nerviosismo.

- El hábito de fumar.

- El exceso de alcohol.

- El exagerado consumo de café.

- Una mala alimentación.

Por supuesto, existen otras conductas dañinas que podrían ser mencionadas. Creemos que estas son las más usuales y que, por lo tanto, merecen ser combatidas según la sabiduría yóguica.

Si logramos erradicar estos hábitos de nuestras vidas o, al menos, atenuarlos considerablemente, estaremos en condiciones de emprender el ejercicio pleno del Yoga. O sea, si antes no repasamos estas conductas y tomamos conciencia de lo que estamos haciendo mal y qué cosas podemos hacer para remediarlo, no podremos acceder a las asa-

nas porque no habremos sido capaces de aprobar un examen fundamental: el de querer cambiar. El Yoga nació con nosotros, está en nosotros y somos nosotros los que debemos encauzarlo en la práctica
dentro de un contexto de salud. Si nosotros nos enfermamos casi de-
liberadamente, el Yoga no nos podrá curar, pues se trata de una fuerza que está en nosotros mismos. El Yoga debe partir de nosotros. Sin
decisión de cambiar no hay vuelta de página, no existe el traspaso al
capítulo que viene.

A continuación, analizaremos punto por punto, los siete hábitos
nocivos para nuestra salud y calidad de vida citados. Las mejoras que
seamos capaces de experimentar al respecto significarán la base de
todo lo demás, el sostén de una vida mejor, el pilar de nuestra salud, la columna de toda sabiduría; en síntesis, los cimientos del Yoga
práctico.

La mala postura

Las sociedades modernas no reparan en la postura del físico. El apuro, el correr de aquí para allá o el permanecer sentado en una ofici-
na durante varias horas, son factores que determinan que no estamos
adoptando una posición saludable.

Debemos entender a nuestro cuerpo como el envase por el cual,
cada órgano, cada elemento de nuestro ser, está seguro, protegido,
con el espacio físico necesario para cumplir con sus funciones de vida.
Si tenemos la espalda doblada, inclinada, maltratamos a la columna
vertebral, aprisionamos a los pulmones y ejercemos un sobrepeso sobre los órganos digestivos. Además, estaremos adoptando una postura antiestética, desagradable. La salud y la belleza, casi siempre actúan
como sinónimos.

El Yoga hace mucho hincapié en las posturas (asanas), y cada uno de
sus ejercicios, como veremos más adelante, tienden a recuperar la posición ideal del ser humano. Es decir, mediante las asanas es posible re-
componer una mala posición. Pero no debemos esperar con una actitud pasiva que las asanas nos curen, que sean ellas quienes hagan todo
el esfuerzo. Somos nosotros, primero, los que debemos dar el paso inicial, adoptando en nuestros quehaceres cotidianos la postura correc-

ta. De esta manera, estaremos preparando el terreno para los ejercicios que vendrán.

En primer lugar, habrá que tomar conciencia de cuáles posturas son incorrectas. Cuando las hayamos detectado, podremos mejorarlas. Veamos algunos ejemplos y aquellas fáciles técnicas que podemos utilizar para revertir una mala postura. Lo más frecuente es permanecer sentados durante varias horas frente a una computadora, con la espalda doblada con el fin de acceder al teclado. Podemos revertir este desorden físico si abandonamos la actitud inconsciente de esta postura. Todo hábito es una costumbre y, por lo tanto, es inconsciente, involuntario. Si transformamos este hábito en una conducta consciente, sabremos que debemos sentarnos con la espalda recta, apoyada en su totalidad en el respaldo de la silla, la cual tendrá que ser cómoda, confortable, acolchonada. Para tocar el teclado no será preciso inclinarnos hacia él. Deberemos estirar algo más nuestros brazos hasta que le den alcance.

Al caminar, también solemos hacerlo con la espalda doblada, en la cual se evidencia, producto de la mala postura, una especie de joroba desagradable. Una vez más, tomaremos conciencia del error y caminaremos con la columna erguida, enderezada, derecha, los hombros levantados, firmes y rectos. Al comienzo, caminar de esta forma será algo incómodo, artificial, poco natural puesto que estaremos forzándonos para lograrlo. Un consejo del Yoga: caminar delante de un espejo, en el hogar, una y otra vez. Ir y venir. Mirarnos en él. Estudiar nuestra imagen, nuestro andar. Insistir hasta vernos en la postura correcta, hasta que nos gustemos y estemos conformes con la imagen reflejada.

De tanto repetir las buenas posturas, con el tiempo se transformarán en algo inconsciente, involuntario, como aquellos malos hábitos.

La deficiente respiración

En la parte práctica de esta guía analizaremos en detalle los ejercicios que habrá que adoptar para obtener una respiración que, en Yoga, se denomina profunda. Sin esta respiración no lograremos llevar a buen puerto las diferentes asanas. Además, sin una correcta y profunda respiración no podremos otorgarle a nuestros pulmones la oxigenación suficiente, porque sólo estaremos aprovechando (o desaprovechando) una mínima parte de nuestra capacidad pulmonar. Por lo tanto, no ahondaremos, aquí, sobre estos ejercicios respiratorios. Sí advertiremos que al principio serán costosos, dificultosos, porque, como en todos los hábitos, estaremos cambiando una conducta inconsciente (la mala respiración), por una conducta consciente que requiere estudio y dedicación (la buena respiración). Pero esa dificultad sólo se evidenciará al principio. Con la práctica, se convertirá en un hábito, pero de los buenos. Es tan intenso el cambio que experimentaremos con estos ejercicios respiratorios que sentiremos que estamos aprendiendo a respirar por primera vez. Casi un antes y un después. Mientras tanto, antes de emprender los ejercicios respiratorios, es conveniente realizar algunas reflexiones. No sólo hay que tener en cuenta la forma de respirar, también qué tipo de aire es el que respiramos. Dediquémonos unos minutos en el día para apartarnos de las urbes contaminadas y dirigirnos hacia esos puntos o zonas en donde, todavía, existe cierta pureza: una plaza, un parque, el río, un lago, una playa. Lugares con verde y naturaleza. Los espacios verdes son para las ciudades lo mismo que los pulmones para nuestro organismo. Son la purificación, el equilibrio, la fuente de vida que origina que no todo sea humo. Vayamos a un espacio así, caminemos, respiremos con ganas, inundémonos de verde, pureza y naturaleza.

El estrés

Agotamiento, nerviosismo, desgano, excitación, fatiga, cansancio, debilidad, extenuación, son sólo algunos de los síntomas originados por el estrés.

Pero, ¿qué es el estrés? El estrés deriva del término inglés *stress*, y se trata de la situación de una persona o de alguno de sus órganos o aparatos que, por exigir de ellos un rendimiento muy superior al normal, los pone en riesgo próximo a enfermar.

Es por eso que el estrés es un símbolo de estos tiempos modernos, porque es en estos tiempos en donde las exageradas exigencias laborales, la tensión en aumento ante cualquier problema, la preocupación por hacer dinero y más dinero, el desmedido afán por el éxito, y otras cuestiones por el estilo, nos provocan ese estado antinatural y contradictorio con la condición humana.

De la misma manera podemos afirmar que el Yoga es todo lo contrario al estrés. Porque el Yoga no alienta el ejercicio físico excesivo, sino una actividad equilibrada al tipo de persona que la practica. Si el estrés es vértigo y prisa, el Yoga es pensamiento y pausa. Si el estrés es enfermedad y desgano, el Yoga es salud y energía. Si el estrés es éxito y dinero, el Yoga es triunfo y felicidad. Si el estrés es individualismo, el Yoga es conjunción. Si el estrés es egocentrismo y egoísmo, el Yoga es comunión y solidaridad. Si el estrés es un trastorno grave de estos tiempos de hoy, el Yoga es un probado sistema de salud que nació en el origen de los tiempos. De la misma manera, estamos en condiciones de aseverar que si el estrés es enfermedad, el Yoga es cura, la disciplina capaz de mejorar al estresado, y, más aún, de prevenir y evitar el estrés.

El hábito de fumar

Existen pocas conductas más nocivas que el hábito de fumar. El cigarrillo, ese delgado cilindro de papel especial relleno de tabaco finamente picado o en hebra, en apariencia inofensivo y hasta tentador, provoca en el mundo miles y miles de muertes por día. Porque en verdad, aunque las compañías tabacaleras intenten pronunciarse al respecto en provecho de un negocio millonario (su propio provecho) o aunque en los paquetes de cigarrillos una oración de letra muy pequeña, casi ilegible, advierta sobre el asunto, el tabaco posee un alcaloide, denominado nicotina, que en pequeñas dosis produce una ligera euforia, disminuye el apetito, la fatiga y es incluso un excitante psíquico, pero que en dosis elevadas se transforma en un veneno potente que puede provocar una intoxicación grave que deriva en una enfermedad crónica o en la muerte. Así de peligroso es el hábito de fumar. Así de contrario es a la filosofía del Yoga. Y así de engañoso es. Al principio parece no sólo inofensivo, sino saludable. Creemos que el cigarrillo puede mejorar nuestro estado de ánimo, quitarnos la ansiedad por la comida, brindarnos una dosis extra de energía, pero esto no es más que un espejismo, una ilusión, un engaño, como un truco de magia al que creemos verdadero pero que no es más que eso: un truco. El hábito de fumar crea adicción. La adicción nos anula el poder de voluntad. Ya no podemos manejar al cigarrillo. Ese absurdo y delgado cilindro de papel nos maneja a nosotros. Creemos estar más fuertes, más seguros con un cigarrillo entre los dedos. Pero, en realidad, estamos evidenciado debilidad y nos estamos enfermando, consumiéndonos como se consume, precisamente, un cigarrillo. Gastamos bastante dinero al año en atados de cigarrillos mientras introducimos nicotina en nuestros pulmones que, más temprano que tarde, nos terminará quebrantando. Todo esto mientras los empresarios de las compañías tabacaleras se frotan las manos, satisfechos de su riqueza obtenida y ganancias venideras; y el Yoga, despojado de todo lucro, le advierte a la gente a gritos que se necesita un cambio, urgente, porque la vida, aunque tenaz y tozuda, no sabe esperar por siempre. El cigarrillo, de continuar la adicción, inexorablemente terminará venciéndola.

El hábito de fumar es una conducta social, cultural e histórica. Su erradicación completa de la sociedad es casi imposible, puesto que sus raíces son muy profundas y sus intereses comerciales muy poderosos. Las acciones para combatir la adicción al cigarrillo son, por lo tanto, individuales o, a lo sumo, grupales. Sin embargo, existen cada vez más ámbitos en el mundo entero que prohíben fumar. En aviones, restaurantes, despachos oficiales. Hay lugares que están divididos en zonas para fumadores y para no fumadores. No vamos a reflexionar, aquí, si de una acción prohibitiva puede salir algo bueno. Acaso, una restricción produce el efecto contrario al deseado: estimula el anhelo de realizar lo prohibido. Pero así y todo, el hecho de que existan lugares públicos y privados en donde el fumar está prohibido, significa que también existe una conciencia cada vez más generalizada sobre la necesidad de cuidar nuestra salud.

De cualquier forma, el Yoga tiene sus propios métodos de curación y prevención, totalmente naturales. Pero comparte y hasta alienta, a su vez, aquellos métodos privados, numerosos y variados que aparecieron en los últimos años, que ayudan a un individuo a abandonar el cigarrillo. Algunos aconsejan dejarlo de manera tajante y urgente. Otros recomiendan un abandono gradual, paulatino, lento, para que la abstinencia no se haga sentir de golpe, con todo su rigor. Todo sirve. No existe el método erróneo, siempre y cuando a la persona le dé resultados positivos.

La filosofía yóguica identifica dos categorías de alimentos impuros: los alimentos rajásicos (demasiado estimulantes) y los alimentos tamásicos (pasados o, directamente, podridos). Para el Yoga, todos los alimentos y aquellos productos que son ingeridos por el ser humano, tabaco incluido, pertenecen a uno o a otro grupo. Observemos, entonces, lo malo que el Yoga considera al tabaco, ya que no duda en incluirlo en ambas categorías. Sí, para el Yoga, el tabaco es rajásico y tamásico al mismo tiempo, un producto altamente peligroso.

El Yoga enseña que, al dejar de fumar, la persona elimina toxinas del cuerpo y, de esta forma es más fácil lograr una mente y un cuerpo serenos. Por lo tanto, reconoce que nunca es tarde para abandonar el cigarrillo, puesto que las toxinas se eliminarán de manera inmediata y el estado de bienestar se observará rápidamente.

El Yoga entiende que, empleando los ejercicios de respiración profunda el individuo perderá los deseos de fumar, puesto que sentirá que ya no necesita del efecto de un cigarrillo, al haber purificado sus pulmones y disfrutar conscientemente de la oxigenación y limpieza de su organismo. O sea, es tan fuerte el cambio que produce la nueva respiración, que la persona no querrá ensuciar sus nobles resultados con humo, tabaco y nicotina. Sentirá que está profanando una dicha regalada por el Yoga.

Como la acción de fumar responde en algunos casos a cuestiones psicológicas, el Yoga constituye, también en este terreno, un medio ideal para el abandono del cigarrillo, ya que sus propiedades se sienten no sólo en un terreno físico y orgánico, sino también mental y espiritual. Si un hombre o mujer sintieron alguna vez que con un cigarrillo en sus manos ganaban en seguridad y perdían ciertos temores, fobias o timidez, pues, luego del Yoga, sabrán que la seguridad estuvo siempre dentro de uno, nunca en un cigarrillo, y que el Yoga es la herramienta ideal capaz de extraer de cada ser humano un estado de bienestar general.

El exceso de alcohol

A diferencia del cigarrillo, el alcohol, en pocas cantidades, no sólo no produce daños, sino que es hasta aconsejable en materia de salud. Estudios médicos medianamente recientes comprobaron que un vaso de vino durante las comidas evita trastornos cardíacos. ¿Qué dice el Yoga al respecto?.

En principio, hay que diferenciar las costumbres orientales con las occidentales. En Oriente, la filosofía yóguica suele ser llevada a cabo en todos sus detalles, pues el estilo de vida de sus habitantes se adapta a lo que el Yoga profesa, sin medias tintas. La forma de vida de Occidente suele ser muy diferente. Adoptar al pie de la letra todas las cuestiones inherentes a la filosofía del Yoga, es casi una utopía, una conducta impracticable. El Yoga es claro con respecto al alcohol: lo considera un producto tamásico y rajásico, es decir, un alimento demasiado estimulante y no apto para el consumo.

Sin embargo, la variedad del Yoga que se practica en Occidente (Hatha Yoga), se permite algunas licencias o modificaciones con el fin de adaptar esta disciplina milenaria a las costumbres de países como los nuestros. De esta forma, el Yoga no prohíbe el consumo de alcohol y hasta está de acuerdo con aquellos estudios médicos. Pero advierte que en cantidades excesivas, el alcohol es tan nocivo como el cigarrillo y produce una adicción terrible, acaso más lamentable que el tabaquismo.

El alcohol contiene productos fermentados que introducen toxinas en el cuerpo y excita la mente. Esto, llevado a cantidades exageradas produce que el alcohol se convierta en un enemigo de nuestra conducta habitual, transformando nuestro carácter hasta convertirlo en algo vulnerable. La adicción es un círculo vicioso. Cuanto más alcohol ingerimos, más alcohol necesitamos para poder funcionar. Lo que sucede es que ese funcionamiento es un funcionamiento forzado, artificial, producto de una adicción que actúa como un combustible externo y nocivo que corrompe nuestro motor y dificulta el buen andar.

En apariencia, el cigarrillo no ocasiona trastornos de conducta. El alcohol, no repara en las apariencias; los cambios de conducta en los alcohólicos son evidentes y lamentables. Perdemos reflejos, rapidez física y mental, inteligencia y sentido común. Y ganamos una audacia y temeridad absurdas y peligrosas que, en ocasiones, pagamos con la muerte. Pero el alcohol excesivo, además, contamina nuestros órganos (fundamentalmente los digestivos y hepáticos) con esa toxicidad que se impregna en nuestro organismo como parásitos.

¿Cómo combatir el alcohol? Sabemos que existen grupos anónimos que ayudan a un alcohólico para su recuperación. Estos grupos ya probaron su eficacia.

Sin embargo, lo más difícil es que una persona con síntomas de alcoholismo acepte su problema. El alcoholismo es una enfermedad socialmente vergonzosa, discriminatoria (de ahí que los grupos de ayuda reciban el rótulo de anónimos), por lo que muchas veces el alcohólico intenta disimular el problema. Pero el alcohol también es engañoso y creemos que no tenemos un problema cuando en verdad sí lo tenemos. Cuando la enfermedad llegó a niveles realmente altos, la recuperación es posible pero la cura total es muy difícil, ya que la persona recuperada deberá cuidarse siempre de no volver a consumir alcohol, porque el hábito podría reaparecer de manera mucho más rápida que lo que tardó en desaparecer.

El Yoga es una disciplina acertada para combatir el alcoholismo y, mejor aún, para prevenirlo. En materia preventiva, la práctica constante del Yoga irá eliminando de a poco nuestras debilidades y flaquezas que, a menudo, se convierten en adicciones y conductas nocivas para la salud. El Yoga nos devolverá esa fuerza interior que a una persona le falta en el momento de caer en la tentación. Pero, al mismo tiempo, los ejercicios de meditación, fundamentalmente, nos proporcionarán la sabiduría para abandonar cualquier tipo de adicción, alcohol incluido. Sólo es cuestión de querer, de intentarlo, aunque estemos en medio del infierno del alcohol. Darse tiempo para practicar, con la ayuda de un profesor avezado, los ejercicios capaces de mostrarnos el camino verdadero hacia la salud total. De eso se trata el Yoga.

El consumo exagerado de café

Muchos consideran al hábito de tomar café en exceso como una adicción menor. Desconocen sus peligrosas consecuencias. Ninguna adicción es menor, pues todas perjudican un estado de salud. Por lo tanto, cualquier adicción o hábito nocivo están en contradicción con las enseñanzas del Yoga.

El yoga introduce a la cafeína en la categoría rajásica, puesto que es un estimulante poderoso. La cafeína activa en demasía la mente y le suministra al cuerpo una dosis de energía extra, artificial. Sucede que, cuando los efectos de la cafeína se van, caemos en una especie de bajón, a veces muy pronunciado, que nos impulsa automáticamente a ingerir más café. Ni más ni menos que una adicción. Los efectos de la cafeína, de esta forma, pueden ser tildados de mentirosos y efímeros. Son mentirosos porque son artificiales, no nacen de nuestro interior, producto de nuestros ejercicios regenerativos. Y son efímeros porque su acción sobre nuestro organismo desparece rápidamente. Por eso necesitamos café y más café. Pero los resultados para nuestra salud son altamente perjudiciales.

El café, aunque sea en pocas cantidades, puede alterar el ritmo natural del sueño, impidiendo un descanso correcto. Para el Yoga, el acto de dormir es muy importante (en la parte práctica estudiaremos algunos conceptos sobre esta materia y daremos varios consejos para conciliar el sueño naturalmente, sin necesidad de ingerir pastillas químicas), porque con un mal descanso, los ejercicios de relajación y meditación difícilmente puedan ser realizados, ya que son actividades que requieren mucha concentración y reposo.

Aunque en menor medida, todas estas consideraciones en contra del café, también rigen para el té, otro elemento rajásico que estimula artificialmente el comportamiento humano.

Pese a todas estas cuestiones, el Yoga no prohíbe del todo al café o al té. Sugiere que aquellas personas que deseen beberlos, lo hagan con moderación, no más de dos tazas diarias de algunas de estos productos. Nunca antes de dormir, por el tema de la alteración del sueño. O bien, que intenten reemplazar el café común por el café descafeinado, que aunque no posea el mismo sabor, no es una bebida maligna.

Toda exageración produce adicción. El equilibrio, la moderación, no nos harán perder la fuerza de voluntad por la cual seremos nosotros los que dominaremos nuestras conductas. De lo contrario, los productos adictivos (cigarrillo, alcohol, café) marcarán nuestro accionar, dominándonos.

El Yoga exige un cambio y está en el mismo Yoga la manera de llevarlo a cabo. La práctica de las asanas y los ejercicios de relajación y meditación otorgan facultades naturales de estimulación, anulando la necesidad de ingerir estimulantes artificiales y sus toxinas nocivas. Hay que entender al Yoga como un tonificador natural que nos hará más sanos y felices. Por lo tanto, el café, ¿para qué? Pero hay que comprender, también, que toda estimulación natural, como el Yoga, no produce adicción. La naturaleza no es adictiva. El Yoga no lo es. El Yoga sale de nosotros mismos y regresa a nuestro interior, renovándonos y otorgándonos un equilibrio orgánico, mental y espiritual que no nos hará extrañar ni la mejor taza del café más sabroso.

La mala alimentación

Este libro ya ha tratado el tema de la alimentación y ha dicho que para el Yoga lo mejor es una dieta balanceada, equilibrada, sin privarse de aquellas comidas que nos gustan, pero, como en todos los aspectos que el Yoga maneja, sin exagerar. De igual forma, hemos hablado también de adoptar una postura cómoda a la hora de comer, de masticar lento y bien, de comer con calma, sin tensiones que nos provoquen una mala digestión y de darle al acto de comer el valor sagrado que se merece. Hay que darle tiempo a la alimentación, y hay que prestarle atención, pues nuestro comportamiento ante la comida, tanto en la calidad como en la forma, constituirá una base importante para un estado saludable.

Para el Yoga, una mala alimentación afecta mucho más que el bienestar físico. La energía vital, la capacidad mental y la salud emocional sufren o gozan la influencia de lo que comemos. Porque somos lo que comemos. Si comemos sanos, seremos sanos.

La práctica de la meditación, los ejercicios de relajación, el trabajo de la respiración profunda y las diferentes asanas que conforman el Yoga están destinados a armonizar mente, cuerpo y alma. Comer lo adecuado, por lo tanto, posee una relevancia esencial para alcanzar dicha meta.

Si bien el Yoga aconseja una dieta general, sin privaciones, incluso con carne, desestimando así a los que creen que el Yoga exige una alimentación vegetariana, no desconoce que existen alimentos más sanos, menos sanos y, directamente, insanos. Es así que divide en tres categorías a las comidas. Como señalamos en los títulos de los malos hábitos anteriores, existen los alimentos tamásicos, los rajásicos y los sátvicos.

Los alimentos tamásicos son considerados, en exageradas proporciones, contaminantes, inmaduros para el consumo y altamente perjudiciales para el organismo. Se incluye en esta categoría a: carne, pescado, hongos, alimentos congelados, conservados, enlatados, demasiado cocidos, recalentados y fermentados, como así también el alcohol.

Dentro del rubro denominado rajásico, el Yoga incluye: cebolla, ajo, huevos, ajíes picantes, especias fuertes, comidas agrias, ácidas y amargas, chocolate, azúcar blanca, harina blanca, tabaco, café y té. El Yoga entiende que todos estos alimentos, mal consumidos, son excitantes, estimulantes y adictivos.

La última categoría yóguica, llamada sátvica, incluye a los alimentos más puros y nobles. A saber: cereales, fruta, verduras frescas, jugos naturales de fruta, leche, manteca, legumbres, miel y agua en estado puro. Estos alimentos, nutritivos y fáciles de digerir, son los que constituyen la dieta exclusiva de miles de practicantes de Yoga en Oriente, personas que le dedican todo su tiempo a esta disciplina, siendo devotos absolutos, fieles del Yoga en el real sentido de la palabra. En Occidente hay cada vez más personas que, dentro o fuera del Yoga, optan por una dieta parecida.

No obstante, el Yoga no desconoce que los alimentos mencionados en las categorías tamásicos y rajásicos poseen una fuerte aceptación en este lado del mundo. Anularlos, prohibirlos, no es la solución. El Yoga, por lo tanto, recomienda ingerirlos de manera moderada, equilibrada, en cantidades no muy elevadas y combinándolos con los alimentos sátvicos.

No debemos olvidar que una dieta equilibrada y los buenos hábitos alimenticios en cuanto a la forma de comer, constituyen la base de la mejor salud y los cimientos del Yoga práctico.

Curación y prevención

Observamos, hasta aquí, algunos de los problemas más frecuentes experimentados por los seres humanos, fundamentalmente aquellos que habitan en el mundo occidental. Una mala postura física, la deficiente respiración, un estado constante de estrés, la necesidad imperiosa de fumar, el exceso de alcohol y la exageración en el consumo de café o de té, constituyen males que se contradicen con la filosofía y las enseñanzas del Yoga.

A modo de repaso, entonces, podemos enunciar cuatro puntos elementales a tener en cuenta para cada uno de estos siete trastornos –y para otros similares, claro está–, con el fin de encontrar patrones comunes para la curación y prevención:

- En primer término, tomar conciencia de que tenemos un problema. A partir de ahí, podemos buscar la manera de combatirlo.

- Saber que este problema anula los efectos benéficos que el Yoga está en condiciones de proporcionar.

- Confiar en que los diferentes ejercicios del Yoga pueden suministrarnos la cura de estas enfermedades y, también, la prevención.

- Pero, entender que el primer paso lo tenemos que dar nosotros, dentro o fuera del Yoga. Debemos combatir, a través de nuestra inteligencia y nuestra fuerza de voluntad, los males que nos aquejan. Si practicamos Yoga pero no cambiamos nuestros hábitos nocivos, ya sea por imposibilidad o indiferencia, poco es lo que el Yoga podrá hacer en nuestro beneficio.

Capítulo 4

El inicio de la práctica de Yoga

Animarse a subir

Cuando se habla de la unión entre cuerpo, mente y espíritu, de la fortificante energía que circulará por nuestro organismo, del estado de plenitud que puede alcanzarse y del dominio absoluto sobre la totalidad de nuestro ser, podemos acceder a la conclusión errónea de que el Yoga es complejo, casi imposible. Nuestra vida cotidiana, alejada del Yoga, parece demasiado opaca si se la contrapone a las bondades anteriormente enumeradas.

Los beneficios del Yoga se obtendrán a través de los diferentes ejercicios, casi de manera natural. Tomaremos conciencia de las mejoras a medida que pase el tiempo y que nuestro cuerpo y mente se sientan cada vez más identificados con el Yoga. Pueden llegar a resultar dificultosos ciertos ejercicios de respiración, alguna postura, alcanzar un nivel de concentración constante y duradero, relajarnos según el completo significado de este término y realizar óptimamente las técnicas de meditación, pero son, todas, dificultades fácilmente subsanables.

Cualquier persona puede acercarse al Yoga. Niños y niñas. Hombres y mujeres. Judíos y católicos. Creyentes y ateos. Negros y blancos... todos, absolutamente. Porque al tratarse de una disciplina que habita en el interior de cada ser humano, es inaplicable cualquier forma de discriminación. El Yoga tiene las puertas abiertas para quien desee intentarlo.

Pero también es preciso hacer algunas observaciones. Esta guía, y aquellos libros que circulan por el mercado, de ninguna manera podrán reemplazar la acción directa de un profesor o profesora de Yoga responsables. Siempre es conveniente acercarse a la disciplina de la mano de un experto. Esto no significa que no puedan intentarse en casa, y en soledad, diversos ejercicios. Pero debemos mirar al Yoga como una gran escalera. Acaso no necesitemos de la presencia física de un guía para mostrarnos los primeros escalones. Pero la escalera es muy alta. Parece que en cualquier momento finaliza. Creemos ver la meta. Y nos equivocamos. Era apenas un espejismo. Hay que seguir subiendo. Miramos hacia abajo. Casi no se ve el comienzo. Pero no queremos bajar. Nos gusta subir. A medida que avanzamos aumenta nuestro placer y nos sentimos mejor. Y, de repente, nos encontramos mareados por la altura. Necesitamos una mano de donde tomarnos. No la encontramos. Necesitamos imperiosamente una palabra que nos guíe, que nos enseñe el camino. Necesitamos, claro está, la presencia de un maestro.

El Yoga tiene diversos niveles. Acceder a los más altos sin la compañía de alguien avezado en la materia es muy peligroso.

Por eso, esta guía tiene como fin mostrar el camino, señalar la fabulosa escalera del Yoga. Siguiendo con paciencia y atención las diferentes indicaciones es posible subir los primeros escalones. De alguna manera, un libro es como un profesor.

El Yoga que proponemos es aquel que mejor se adapta a las costumbres de Occidente. No es un Yoga menor –ya lo hemos dicho–, es la base de todos los demás. Es el Yoga denominado *Hatha*. Sin él, no existen los otros. Sin los primeros escalones, no hay escalera.

El consejo, entonces, es: animarse a los primeros ejercicios en casa. Hacerlos con cuidado. Insistir si no salen al comienzo. Jamás desalentarse. Experimentar con alegría las primeras nobles sensaciones que el Yoga nos deparará. Y si hay ganas de seguir aprendiendo, de animarse a más, pues entonces, sí, a buscara la persona indicada que nos dará la mano para tan fascinante experiencia.

Subamos.

El buen dormir

Nos levantamos una mañana con la idea de empezar los ejercicios de Yoga. Pero estamos cansados, mal dormidos. Los ojos pesan, se cierran los párpados. Sentimos desgano, enormes deseos de volver a la cama. Nuestro cerebro tenía la orden incorporada de hacer Yoga, pero el organismo y el cuerpo no pueden acatarla.

Este es un problema habitual en nuestras sociedades modernas. No hay que afligirse, sino enfrentar el problema. El estrés y las preocupaciones nos distraen a la hora de dormir. El insomnio es uno de los males más frecuentes en la actualidad y provoca que no podamos desarrollar ninguna actividad en estado óptimo, incluyendo, claro está, la práctica del Yoga.

Es necesario que estemos descansados si anhelamos acceder a los máximos beneficios que el Yoga puede darnos. Por eso, el primer y fundamental ejercicio del Yoga se da mientras dormimos. De un buen descanso dependerá todo lo demás.

Existen soluciones para este problema. Para el momento de dormir, el Yoga aconseja:

- Aunque no es imprescindible, es aconsejable orientar la cama de forma tal que la cabeza mire hacia el Norte y los pies hacia el Sur. Esto se debe a las corrientes magnéticas terrestres que, imperceptibles para la conciencia humana, existen e influyen en nuestro comportamiento.

- Eliminar de la mente cualquier idea desagradable.

- Concentremos nuestro pensamiento en aquellas cosas que resulten placenteras, relajantes. Por ejemplo, pensemos en un sereno lago, en un prado verde o en un recuerdo que resulte altamente grato, pero no distractivo.

- Dormir sin almohada. Es mejor estar sobre una superficie plana.

- Acomodémonos en la cama de esta manera: extenderse sobre el lado derecho, para beneficiar el accionar del aparato digestivo. Las piernas estarán estiradas, el brazo izquierdo paralelo al cuerpo, la pierna izquierda apoyada sobre la derecha, el brazo derecho hará la función de almohada, pues deberá estar doblado detrás de la cabeza.

- Respirar con calma, lentamente.

El Yoga hace más hincapié en la calidad del sueño que en la cantidad de horas que le dedicamos. No significa que la cantidad no resulte importante, pero es relativa. Depende de la edad que tengamos y del nivel de actividad física y mental que despleguemos durante la vigilia. Para comenzar el día es fundamental que hayamos dormido profundamente.

El sueño es un período de reposo, de recuperación, de restauración. Siguiendo los consejos del Yoga, conseguiremos un despertar sereno sin sobresaltos. Y cuando abramos los ojos, luego del descanso, reconfortados, afrontaremos las actividades del día. Pero antes de levantarnos de la cama es importante que se siga una serie de pasos, los que se deberán repetir cada mañana, antes de empezar con las posiciones del Yoga:

- Aún se está acostado. Quedémonos así. No saltemos de la cama.

- Lo primero es desperezarse. Extender los brazos. Estirar las piernas. Bostezar todas las veces que resulte necesario.

- Colocar los pies juntos, tobillo con tobillo. Estirar la pierna derecha, sin levantarla del colchón. Sentiremos que se prolonga. Mantener esta postura, por lo menos, durante un minuto. Luego, relajarse y repetir el mismo ejercicio con la pierna izquierda. El objetivo de este procedimiento es estirar la columna vertebral. Es conveniente realizarlo sobre una superficie dura. Si nuestro colchón es blando, mejor es hacerlo sobre el piso.

Luego, sí, se estará en condiciones de levantarse. Continuar con la limpieza de dientes y boca. Beber un vaso de agua a temperatura ambiente. Si el deseo es comenzar inmediatamente con los ejercicios del Yoga, no desayunar. El Yoga hay que hacerlo con el estómago vacío. Si por cuestiones de trabajo o demás responsabilidades, no se pueden realizar los ejercicios en la mañana, pero sí a la tarde o a la noche, concederse un margen de tres o cuatro horas sin comer antes y después de las prácticas.

Cuando ya se esté en condiciones de empezar, fijarse de no estar vestido con ropa demasiado ajustada o apretada, especialmente en la parte abdominal. Las prendas tienen que ser cómodas y livianas.

Con estos consejos presentes, sólo queda comenzar.

La primera respiración

Nada más importante que la respiración, pues mediante ella vivimos. Así, antes de arrancar con las posturas, no puede dejar de mencionarse este aspecto fundamental del Yoga.

Ya hemos dicho que la respiración y las posturas están directamente relacionadas. Ante cada postura, un ejercicio respiratorio diferente.

Se trata de aprender a respirar nuevamente, de una manera distinta de la ordinaria. Ser conscientes de nuestro proceso respiratorio, dirigir el aire que inspiramos hacia el lugar del organismo que deseemos. La respiración como un acto de nuestra conciencia y no de la intuición, pues no somos animales. Nacimos humanos con el don del entendimiento y la comprensión, una suerte de poder que nos diferencia del resto de las especies. Entonces, bien, aprovechemos ese don, aprendamos a distinguirnos y crecer en el milagroso reino de las especies vivas. Respirar con conciencia es uno de los primeros pasos para utilizar el don que nos fue otorgado.

Algunos denominan "respiración profunda" y otros "respiración completa" al fenómeno por el cual podemos capturar el aire (la energía) del exterior e introducirla y darle buen cauce en nuestro organismo.

No hace falta inhalar con fuerza, comprimiendo los orificios de la nariz, metiendo todo el aire que nuestro cuerpo resista, aguantando la respiración y exhalando, exhaustos, los restos de energía ingerida. No es ese tipo de respiración profunda o completa. Es algo mucho más sofisticado, complejo, pero que, no obstante, intentaremos explicar.

Esta es la técnica que se deberá emplear:

- Como primera medida, debemos olvidarnos del proceso intuitivo que utilizamos para respirar normalmente.

- La respiración profunda o completa deberá realizarse sólo si nuestro cuerpo posee la postura adecuada. Esto es: cualquier asana aceptada por el Yoga, o, sino, sentados, acostados o parados, en forma relajada y con la columna siempre recta.

- Se debe inspirar lentamente por la nariz, concentrarse en los movimientos de la región abdominal y en la parte inferior de los pulmones. Éstos comenzarán a recibir el aire inhalado mientras que nuestros órganos abdominales se sentirán relajados, como si se les hubiera hecho un masaje interno. Expulsar el aire normalmente.

- Con el mismo procedimiento anterior, inspirar lentamente por la nariz, pero ahora debemos concentrarnos en las costillas, las cuales, durante la inhalación, se verán extendidas por ambos lados. Cuando se exhale, recoger las costillas y comprimir el aire que sale por la nariz. De esta manera, se habrá llenado de aire la parte media de los pulmones.

- Ahora, repitamos el procedimiento de inhalación suave por la nariz. Concentrarse en los hombros y clavículas, sitio que protege la parte alta de los pulmones. Al inhalar levantar los hombros; al exhalar, bajarlos. Todo con lentitud. Los pulmones estarán totalmente llenos de aire, como casi nunca antes en nuestra vida, pues por desconocer este sistema respiratorio, solemos utilizar una porción escasa de nuestra capacidad pulmonar.

- Este procedimiento, explicado por partes, con el tiempo se logrará realizarlo de manera natural y conjunta, sin divisiones. No sólo se lo deberá emplear en los ejercicios del Yoga, sino en todo momento. Será nuestra nueva manera de respirar.

Existen distintos tipos de respiración profunda o completa, todos con esta técnica como base. Varía en el ritmo que deseemos otorgarle al proceso respiratorio y en la asana en que nos encontremos.

Es importante no abusar, al comienzo, de la respiración profunda o completa. Su aprendizaje se producirá gradualmente. Lo más aconsejable es, pese a las explicaciones de esta guía, acudir a un profesor que nos indique si los ejercicios respiratorios que hemos aprendido están siendo bien utilizados. En materia de salud lo mejor es la sensatez: nada reemplazará la enseñanza directa de un especialista, quien nos marcará en la cara y al instante nuestros aciertos y errores, evitando, así, algún percance que este libro o cualquier otro no podrán prevenir o corregir.

Cuando por fin se consiga respirar como el Yoga aconseja, sentiremos ante la primera inhalación un antes y un después en nuestra vida. Habremos respirado por primera vez.

El calentamiento previo

Como un auto que, antes de darle uso debe ser calentado unos cuantos segundos para evitar el desgaste de un motor que funciona en frío, el cuerpo humano también deber calentarse antes de los ejercicios del Yoga.

Nuestro cuerpo posee una temperatura ambiente constante que varía según la persona. Esa temperatura, es decir, nuestro propio clima habitual, está por debajo de la temperatura requerida para comenzar cualquier actividad física que requiera un movimiento muscular.

El contacto entre el cuerpo y la energía, entendiendo a la energía como el movimiento que desplegamos, puede ser contraproducente si no nos encontramos preparados para tal acción. Se puede producir una fricción violenta, un desgaste que repercutirá directamente sobre nuestra masa ósea y muscular y que nos impedirá el inicio de los ejercicios. No hay que desatender a los desgarros, contracturas y demás molestias. Deberemos hacerles frente por medio de la prevención.

Por lo tanto, antes de iniciar con las posturas, es indispensable la realización de un programa de calentamiento, entendiendo al mismo casi como las primeras posturas del Yoga y las que nos posibilitarán continuar con las restantes.

Estos son los pasos a seguir:

- Lo primero que debe hacerse es no levantarse de golpe, ni bien nos despertemos. En la cama se producirán los primeros ejercicios de estiramiento.

- Ahora sí, estamos dispuestos a empezar con las asanas. Ponerse de pie. Colocarse de puntillas. Mantener la columna firme, recta. Estirar los brazos hacia a arriba. Estirar todo el cuerpo lo más que se pueda, en posición erecta. Quedarse en esta postura, por lo menos, durante un minuto.

- Relajarse. Seguir de pie, pero ya no en puntillas. Bajar los brazos y mantenerlos en posición normal, a los costados del cuerpo. Iniciaremos, así, los ejercicios de rotación de nuca. De manera continua y rotatoria mover la cabeza. Primero hacia la derecha, luego hacia delante, después hacia a la izquierda y, por último, hacia atrás. Hacer este ejercicio de manera suave y lenta durante un minuto y medio.

- El próximo paso es la rotación de hombros. Siempre de pie y con los brazos a los costados del cuerpo, mover los dos hombros al mismo tiempo, en forma rotativa, hacia delante y hacia atrás, durante un minuto.

- Concentrarse, ahora, en las manos. Continuar parado, en posición firme y recta. Extender los brazos hacia delante. Mirar las manos. Relajar los dedos abriéndolos y cerrándolos lentamente pero con fuerza. Luego, comenzar a girar las muñecas de izquierda a derecha y de derecha a izquierda, durante un minuto.

- Llegó el momento en que podremos sentarnos. Se deberá hacerlo sobre los talones, con la parte anterior del pie bien firme y segura sobre el piso. Todo el peso del cuerpo recaerá sobre la parte posterior del pie. Con los brazos se puede sostener las rodillas. Comenzar a subir y bajar, lentamente, de manera tal que los talones y tobillos reciban una presión rítmica durante, al menos, treinta segundos.

- Relajarse y acostarse. Recordar que es conveniente acostarse siempre sobre superficies duras. No es recomendable la cama para los ejercicios del Yoga. Extender los brazos en forma de cruz y flexionar las rodillas, con las piernas juntas y los pies firmes sobre el piso. Quedarse así durante dos minutos.

- Acostado, llevar las rodillas hacia el pecho, flexionando las piernas. Sujetarlas con los brazos. Quedarse en esta postura, al menos, un minuto.

- Ya se está preparado para los ejercicios de balanceo. El primer paso consiste en sentarse con las rodillas levantadas y la cabeza hacia abajo. Las manos deberán ponerse por debajo de las rodillas. De esta forma, columpiarse hacia delante y hacia atrás, sucesivamente, imitando el balanceo de una silla mecedora. Esta operación puede ser realizada tres o cuatro veces, durante un minuto cada una, con intervalos a modo de descanso de veinte segundos.

Estas son algunas de las posturas previas a la asanas. Existen otras, pero las mencionadas servirán para arrancar con el motor bien caliente los ejercicios por venir.

Capítulo 5

Las posturas del Yoga

Preparados, listos, ya

Ya estamos preparados para comenzar con las posturas del Yoga. A modo de repaso, enumeremos:

- Realizar los ejercicios sobre superficies duras.

- Utilizar ropa liviana, cómoda.

- No hacerlos inmediatamente antes o después de comer. Lo mejor es la mañana, después de un reparador descanso nocturno.

- Realizar los trabajos de calentamiento previo.

- No descuidar los ejercicios de respiración.

- Practicar las posturas con calma. Si no salen, insistir.

- Recordar que el Yoga no es una actividad cuyos frutos se puedan observar de manera urgente e inmediata. Con paciencia y constancia se notarán los cambios en el cuerpo y espíritu.

- Algunos profesores aconsejan la realización de los ejercicios con una tenue música de fondo. Una melodía suave y relajante que sea capaz de impulsar a la armonía interior y exterior que el Yoga requiere. Así como los movimientos físicos deben ser equilibrados, armoniosos y afinados, de igual forma se tiene que sentir en nuestro interior. No olvidar que el Yoga hace mucho hincapié en la concentración y en la meditación. La música, por lo tanto, es un excelente elemento para lograr un estado de reflexión y recogimiento.

- Es aconsejable no abandonar la práctica del Yoga durante un período prolongado de días. Lo conveniente es su realización diaria o periódica. Si le dedicamos apenas un poco de tiempo al Yoga, día a día, se alcanzarán más fácil los resultados propuestos. De lo contrario, es casi como un volver a empezar.

- Uno de los puntos más importantes: cuando se esté realizando los ejercicios, debemos pensar que el Yoga no es sólo una actividad física, como cualquier gimnasia ordinaria. Hemos visto que el Yoga es una disciplina mucho más profunda que llega directamente hasta nuestras zonas que menos o nada hemos explorado. Si al hacer los ejercicios se toma conciencia de esta premisa, pues entonces se estará en condiciones de acceder a los beneficios del Yoga como un regalo precioso que, desde siempre, nos estuvo destinado.

Existen muchísimas asanas. Están las fáciles y las complejas. Las que pueden hacerse en casa y las que requieren de la guía de un maestro. Las iniciales y las avanzadas. Existen asanas especialmente aconsejables para mujeres embarazadas, para niños y para gente mayor. El Yoga es tan amplio que, por supuesto, no puede ser mostrado de un tirón en un solo libro. Por lo tanto, las asanas que inmediatamente explicaremos son aquellas que pueden ejercer tanto un iniciado en la materia como alguien acostumbrado al Yoga. Se trata de posturas básicas y efectivas enmarcadas en lo que se denomina *Hatha*, la rama del Yoga que más se adapta a las necesidades y ritmo de vida de los habitantes de estas latitudes.

Asanas

Los ejercicios están agrupados en orden decreciente de complejidad. Es decir, no es aconsejable comenzar por los últimos, puesto que se carecerá de la técnica que darán los primeros. Es imprescindible respetar el orden.

Acaso no será fácil el arranque. Depende del estado físico y orgánico, pero no hay que desalentarse. Se debe insistir diariamente practicando aquella postura que nos resulte dificultosa. Una vez que nuestro cuerpo tenga la elasticidad y tonificación que necesita, se podrá con facilidad proseguir con los ejercicios siguientes.

No es necesario acabar con todas las posturas en un solo día, por eso se deben manejar con libertad los tiempos. Nadie nos puede obligar a que vivamos las 24 horas para el Yoga. Es posible hacer los ejercicios en el tiempo libre que se tenga y avanzar con las posturas de acuerdo a nuestros horarios.

Si un día interrumpimos los ejercicios en determinada postura, al otro día no necesariamente se debe reanudar en esa misma posición. Lo mejor es arrancar desde el comienzo, pensando a las posturas como una sola asana dividida en una serie de posiciones enlazadas unas con otras. De cualquier forma, el factor tiempo vuelve a ser decisivo: si la realización de cada asana, del comienzo al fin, nos lleva más horas de las que le podemos dedicar, podemos organizar nuestra propia rutina, más acotada, la que se podrá ir modificando diariamente.

Saludo al Sol (Suryanamaskara)

Surya significa "Dios del Sol"; *Namaskar* quiere decir "saludo". Para muchos se trata de un complemento importante de la etapa de calentamiento previo a las posturas. Para otros, forma parte de la rutina de las asanas. Nosotros también preferimos incluirlo dentro de las asanas, dada su complejidad, no en el sentido de difícil, sino de abarcador y completo, atributos de los que carecen cualquiera de los ejercicios de precalentamiento.

El llamado Saludo al Sol consta de una serie de doce ejercicios. Hay que trabajar la extensión, rotación y coordinación de la columna, brazos y piernas. Cuanto más elegancia y armonía se logre en los movimientos, mejores serán los resultados que se puedan obtener. Con esta asana conseguirá, fundamentalmente, tonificar los músculos, incrementar la energía, flexibilizar el cuerpo, aliviar dolores de espalda y armonizar el funcionamiento del aparato respiratorio.

He aquí la rutina de los doce ejercicios del Saludo al Sol:

1) Ponerse de pie, con la columna erguida y los talones firmes y juntos. Llevar las manos a la altura del pecho y juntar las palmas, como si se estuviera rezando. Inspirar profundamente y retener el aire apenas un instante. Luego, exhalar.

2) Seguir de pie. Levantar los brazos por encima de la cabeza. Levantar la cabeza, como si se mirara las manos, las que deberán estar abiertas, con las palmas mirando al cielo. Arquear levemente la espalda. Inspirar profundamente y exhalar.

3) Inclinar la parte superior del cuerpo hacia delante, sin doblar las rodillas. Con las manos tocar el suelo, a los costados de ambos pies, que deberán estar juntos y firmes, como en la primera posición. Llevar la frente a la misma altura que las rodillas. Relajar el cuello. Respirar con normalidad.

4) Agacharse. Inspirar profundamente. Llevar la pierna izquierda hacia atrás, como si se estuviera preparando para comenzar una carrera. Exhalar. Flexionar la rodilla derecha para que el pecho pueda tocarla. La planta del pie derecho debe estar apoyada sobre el suelo. Los brazos estarán a los costados del cuerpo y las manos apoyadas en el suelo.

5) Ponerse en posición como si se estuviera haciendo las clásicas flexiones de brazo. El cuerpo firme y erguido. Los brazos estirados, las palmas de las manos tocando el suelo y haciendo de sostén de todo el cuerpo. Los talones deben estar juntos y los pies tocarán el suelo sólo con los dedos. Inspirar.

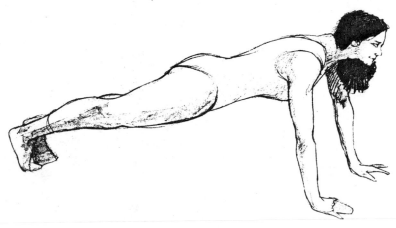

6) Exhalar. Seguir en esa posición. Pero ahora flexionar los brazos mientras se acerca el cuerpo hacia el piso. El peso del cuerpo deberá caer sobre las rodillas, el pecho y el mentón.

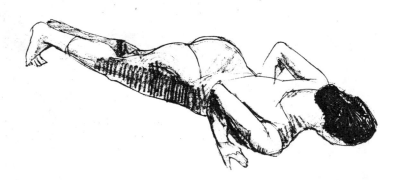

7) Ahora, extender lentamente los brazos, como en una clásica flexión. Inspirar. Elevar el pecho y los hombros con la ayuda de los brazos. Inclinar la cabeza hacia atrás. Mantener los ojos cerrados, en actitud reflexiva, de concentración. Exhalar.

8) Levantar la cola, estirar los brazos y las piernas y permanecer en una posición que simulará una especie de triángulo, como un puente.

9) Repetir el paso 4.

10) Repetir el paso 3.

11) Repetir el paso 2.

12) Repetir el paso 1.

Capítulo 6

Posturas clásicas

Postura de la mariposa

Este ejercicio es ideal para todas aquellas personas que carezcan de flexibilidad en las piernas, puesto que actúa directamente sobre ellas, estirándolas y preparándolas para las asanas posteriores.

Son dos pasos:

1- Sentarse con la espalda recta y las piernas flexionadas en forma triangular, con las plantas de ambos pies enfrentadas y juntas. Inclinarse levemente hacia delante y con las manos agarrar los pies.

2- En esta posición, subir y bajar las rodillas, como si se hiciera un movimiento de aleteo con las piernas, como una mariposa. Comenzar en forma suave con este movimiento, luego aumentar el ritmo. Respirar normalmente. Intentar no acelerar el ritmo respiratorio cuando se aceleran los movimientos.

Postura del loto (Padmasana)

Para los hindúes, la flor del loto –una planta acuática– es el símbolo de la pureza. Gracias a la postura del loto, es posible hacerle frente a la pereza, el cansancio y las debilidades físicas y, especialmente, mentales.

No es recomendable para los principiantes comenzar una rutina diaria con esta asana, puesto que requiere de un alto grado de elasticidad.

La postura del loto posee tres fases diferentes entre sí. La primera es de preparación, a modo de calentamiento. La segunda es la secuencia clásica. Y la tercera es la denominada postura del loto en elevación o *Utthita padmasana.*

Preparación para la postura del loto

1- Sentarse. Mantener la columna recta. Las piernas, extendidas y juntas, con las puntas de los pies estiradas. Doblar la pierna derecha. Apoyar la planta del pie de la pierna derecha en el muslo de la otra pierna. Apoyar las manos en ambas rodillas. Respirar rítmicamente. Inclinar el cuerpo hacia delante y exhalar. Relajarse y repetir el ejercicio, al menos, dos veces más.

2- Seguir sentado. Doblar la pierna derecha sobre la parte exterior del cuerpo. Permanecer algunos segundos en esta posición. Inclinarse hacia delante, es decir, hacia la pierna que permanece estirada. Intentar agarrar el pie de la pierna extendida con ambas manos. Enderezarse, inspirar y relajarse. Repetir el ejercicio, al menos, otras dos veces.

3- Continuar sentado. Ahora, doblar la pierna derecha, en una posición similar al punto 1, pero el pie colocarlo sobre el muslo izquierdo, lo más arriba que se pueda. Realizar tres flexiones hacia delante.

Primera fase

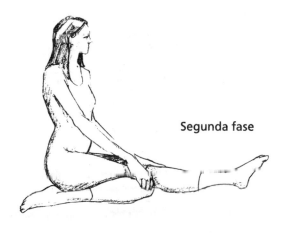

Segunda fase

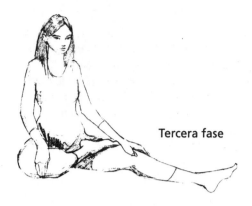

Tercera fase

Postura del loto. Secuencia clásica

1- Sentarse. Doblar las piernas de manera tal que queden cruzadas. Los pies deberán estar encima de ambos muslos. Las rodillas, tocando el suelo. Así, los talones estarán a ambos lados del ombligo. Relajar los brazos y respirar regularmente.

2- Seguir en esa posición. Mantener la espalda recta. Con las manos tocar ambos pies, como si se quisiera darle un masaje.

3- Continuar en la misma postura. Relajar los brazos y dejar caer las manos hacia ambos costados, tocando el piso, como si pesaran.

Ejecución

Ejecución

Mantenimiento

La postura clásica del loto será la que se deberá utilizar para llevar a cabo los ejercicios de meditación. Más adelante detallaremos la técnica a emplear.

Loto en elevación

1- Comenzar haciendo la posición del loto clásica (secuencia número 3) y respirar normalmente.

2- Apoyar las palmas de las manos sobre el suelo, a la altura de la mitad de los muslos, con las puntas de los dedos mirando a las rodillas. Inspirar. Hacer fuerza con las manos y los brazos estirados hacia abajo, para lograr elevar el resto del cuerpo. Los brazos y manos, así, se convertirán en columnas o sostenes. Inclinar levemente la espalda hacia delante. La mirada al frente. La cabeza recta.

3- Espirar. Volver a la posición de base. Reposar. Repetir la operación número 2. Columpiarse hacia delante y hacia atrás, como una hamaca o mecedora. Volver, al cabo de pocos segundos, a la postura base.

Posición de loto

Posición final en ejecución

Posición de loto

Postura inclinada hacia atrás (Viparita Karani)

Viparita significa "invertido". *Karani* es "acción". A partir de la realización constante de esta postura se notarán cambios positivos en las piernas, eliminando tensiones y várices. Por otra parte, ayuda a combatir resfríos y anginas, y se evidenciarán mejoras en la piel del rostro.

Esta asana consta de cuatro partes:

1- Acostarse boca arriba, con los brazos pegados a ambos lados del cuerpo.

2- Respirar normalmente, con calma. Seguir acostado. Doblar las rodillas sobre el pecho. Ayudarse con las manos para sostener las piernas desde los tobillos.

3- Con las piernas estiradas, levantarlas, inclinándolas ligeramente hacia la cara. Los codos apoyados sobre el piso y la fuerza de los brazos aguantarán el peso de las caderas. Mantener la cabeza y la espalda firmes sobre el suelo.

4- Permanecer en esta posición durante, al menos, 30 segundos. Luego, volver a la posición inicial. Relajarse.

Posición de relajación

Ejecución

Posición final

Posición de relajación

Postura del pez (Matsyasana)

Matsya significa pez. La posición que se adoptará practicando esta asana es similar a la postura de un pez y sirve para mejorar la capacidad respiratoria, estimular el sistema nervioso y fortificar los órganos abdominales.

Son tres etapas las que se deberán realizar:

1- Acostarse boca arriba, con los brazos extendidos a lo largo del cuerpo, idéntica postura a la que dio comienzo a la asana Viparita Karani.

2- Extender la punta de los pies. Apoyarse sobre los codos y arquear la espalda. La parte superior de la cabeza deberá estar apoyada sobre el suelo. Respirar rítmicamente, concentrando el aire en la región torácica.

3- Arrastrando los codos hacia delante se logrará apoyar las manos sobre los muslos. Mantener la parte superior de la cabeza sobre el suelo. Permanecer así algunos minutos. Luego, relajarse.

Posición inicial

Ejecución

Posición final

Postura del puente (Setu bandhasana)

Tal vez constituya una postura difícil al comienzo, pero vale la pena el esfuerzo, porque a partir de su correcta realización lograremos mejoras en varios puntos: flexibilizar la columna vertebral, tonificar la musculatura, estimular la tiroides, reforzar los músculos de las piernas y aumentar la capacidad respiratoria. Son cuatro los pasos que se deberán seguir:

1- La posición inicial no difiere con respecto a otras posturas: se tiene que estar acostado, con la espalda firme y pegada al suelo, las piernas estiradas al igual que los brazos, extendidos a ambos costados del cuerpo.

2- Luego flexionar las rodillas, pero mantener las plantas de los pies pegadas al piso. Los talones tendrán que estar lo más cercanamente posible las nalgas. Las palmas de las manos orientarlas hacia abajo, tocando el piso. La respiración deberá ser suave, normal.

3- Con las manos sujetar ambos talones. Con la ayuda de los brazos, levantar la pelvis. Todo el peso deberá recaer en los pies y en los hombros. Esta postura obligará a apoyar el mentón en el pecho. Así, empujar el abdomen hacia arriba.

4- Respirar regularmente. Relajarse y volver a la posición inicial.

Posición inicial

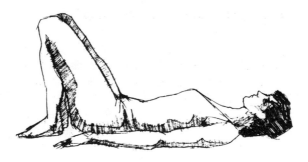

Ejecución

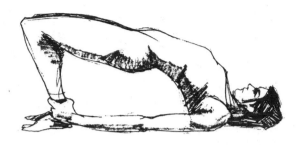

Posición final

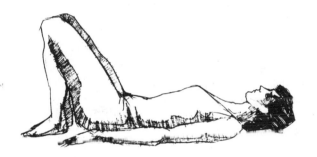

Posición de relajación

Postura de la cobra (Bhujangasana)

Muchas de las asanas reciben nombres de animales, por la similitud de las posiciones con las posturas que adoptan diversos seres del reino animal. En este caso, el cuerpo emulará los movimientos precisos y efectivos de una serpiente. Con esta postura se activará el sistema nervioso, se estimulará la tiroides y se reforzará la columna vertebral.

Son tres pasos, en apariencia simples, pero que, sólo con la práctica y el tiempo, se logrará realizarlos con la armonía y precisión que esta postura requiere.

1- Acostarse boca abajo. Flexionar los brazos, de manera tal que las palmas de las manos toquen el suelo, en una posición paralela a los hombros, y con los codos elevados. Los pies deberán estar extendidos, con las plantas enfocadas hacia el cielo.

2- Respirar de manera armónica, inspirando durante la ejecución y espirando cuando el ejercicio haya finalizado. Ahora, poner el cuerpo levemente hacia atrás. Levantar la cabeza, mirar hacia el cielo. Contraer los músculos de la espalda. Bajar los hombros. Arquear la espalda. Mantener el ombligo sobre el suelo. Ayudarse con los brazos flexionados. Los codos no tienen que estar estirados y las palmas seguirán firmes sobre el piso. Conservar esta postura, al menos, durante quince segundos

3- Mantener las manos en la posición en que se las tenía, sin moverlas. Subir las caderas. Estirar los brazos. No levantar las rodillas. La cabeza quedará debajo de la altura de los brazos. Intentar, con la pera, tocar el piso. La postura llevará a permanecer arrodillado, con los brazos extendidos, a modo de recogimiento y religiosidad.

Posición inicial

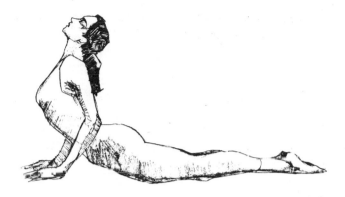

Ejecución

Posición final

Postura de la cabeza contra la rodilla (Janushirshasana)

Lo mejor es llevar a cabo esta postura después de haber realizado aquellas que implican flexiones hacia atrás, como la postura de la cobra.

Actúa directamente en las zonas abdominales, el hígado, el páncreas y los riñones. Se divide en cinco etapas:

1- Sentarse con las piernas estiradas. La espalda recta.

2- Ahora doblar la pierna izquierda, apoyando el talón lo más cerca posible de los genitales, zona denominada periné.

3- Inclinarse hacia la rodilla de la pierna derecha, que permaneció extendida. Llevar la cabeza hacia esa rodilla, hasta que logren tocarse. Con los brazos estirados sujetar, con ambas manos, el tobillo derecho.

4- Estirarse un poco más hasta agarrar, con ambas manos, el dedo gordo del pie derecho, abandonando de esta forma el tobillo del mismo pie que se había sujetado en el paso 3.

5- Relajarse y acostarse boca arriba, con las piernas y los brazos extendidos. (Luego, repetir cada paso pero con la otra pierna). En cada etapa de la secuencia, la respiración deberá ser normal.

Posición inicial

Ejecución

Ejecución

Ejecución

Posición final de relajación

Postura de la extensión anterior (Purvottanasana)

Purva significa "este". *Uttana*, "estiramiento", pues de eso se trata esta postura.

Con el ejercicio frecuente de esta asana se fortalecerán la espalda, los brazos, las muñecas y los hombros.

Son tres secuencias, que se detallan a continuación:

1- Sentarse con las piernas extendidas. La espalda estará firme y recta. Los brazos, paralelos al cuerpo, ayudarán a mantener la firmeza de la posición. Las manos deberán estar apoyadas en el piso, pero con los dedos hacia atrás, lo que originará que también se deba girar los antebrazos.

2- Respirar normalmente, pero con profundidad. Elevar el cuerpo, formando una especia de puente. Ayudar con los brazos y las piernas. Las palmas de las manos y las plantas de los pies deberán estar apoyadas sobre el suelo. La cabeza se deberá echar hacia atrás y el pecho hacia fuera. Hacer, en esa posición, los ejercicios respiratorios durante 20 segundos. Luego, relajarse y reposar.

3- Acostarse boca arriba, con los brazos extendidos a los costados del cuerpo, a modo de descanso, sin dejar de respirar profundamente.

Posición inicial

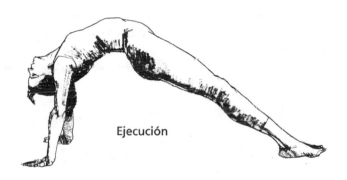

Ejecución

Relajación

Postura de los pulgares de los pies (Padahastasana)

Se trata de una asana similar a la empleada en la postura de la cabeza contra la rodilla (*Janushirshasana*), pero, en este caso, realizada de pie.

Ofrece como ventaja las mejoras en el aparato digestivo y el saneamiento de ciertos dolores de espalda.

Son dos pasos a seguir:

1- Colocarse de pie. En posición vertical separar, ligeramente, los pies. Inclinarse hacia delante y, con los brazos y las manos extendidas, tocar los dedos gordos de ambos pies con el pulgar y el índice de las manos. Levantar la cabeza. Estirar la espalda. Conservarse firme e intentar respirar con profundidad.

2- Bajar la cabeza hasta lograr juntarla con las rodillas. Ayudarse con los brazos. Intentar bajar un poco más hasta que los dedos de las manos, los cuales hasta ese tiempo sólo tocaban los dedos gordos del pie, ahora puedan sujetarlos sin soltarlos. Aunque al principio resulte complicado, permanecer 30 segundos en esta posición. Luego relajarse, estirando el cuerpo y quedando parado, en posición normal.

Ejecución

Posición final

Capítulo 7

Rutinas del Yoga

Rutinas nada rutinarias

Hemos observado las diferentes posturas que están al alcance de cualquier persona, incluso de aquellas que se acercan al Yoga por primera vez.

Es importante detenerse un instante para hacer algunas observaciones necesarias. Se habrá notado que para el Yoga la rutina y la repetición son elementos fundamentales, inseparables. La rutina significa la práctica frecuente y organizada de cada ejercicio en función del conjunto. La repetición es la modalidad a emplear cada vez que esos ejercicios se realizan.

Las asanas se hacen de una sola forma. No existen variables, salvo las originadas por la propia dificultad de acceder a la perfección que cada postura requiere. Cada día que pase nos acercaremos más al ideal requerido, por lo que nuestros movimientos irán sufriendo –o mejor dicho, gozando– modificaciones periódicas. Lo mismo sucede con las técnicas respiratorias.

En cuanto a las rutinas, los ejercicios no deben elaborarse individualmente, a pesar de que no está mal insistir con una o dos posturas dificultosas hasta que finalmente salgan.

Pero, en verdad, los beneficios que el Yoga tiene escondidos sólo lograremos encontrarlos con la práctica frecuente e inquebrantable de la rutina que anteriormente especificamos, en el orden establecido, pues esa organización oscila desde las posturas más simples a las más complejas, como un camino que tiene un punto de partida y otro de llegada.

Sin embargo, uno puede armarse su propia rutina, siempre y cuando no se aleje demasiado del orden aconsejado. Es decir, no es recomendable empezar por la última postura, saltar a una del medio y terminar, luego, con los ejercicios de calentamiento.

Lo que sí puede hacerse es, durante algunas semanas, realizar sólo la postura denominada Saludo al Sol, ya que su serie de doce ejercicios constituye, para muchos profesores, una rutina aparte, independiente de las otras. O bien, comenzar por la postura de la mariposa y luego realizar las distintas series de la del loto. Otra posibilidad es saltearse cualquier postura intermedia o aquellas que mantengan entre sí cierto parentesco o similitud.

Pero en cualquiera de los casos, hay que tratar que el Yoga, si bien establece una rutina, no se nos torne rutinario. Este término es sinónimo de aburrido, repetido, tedioso, ordinario. Lo que debemos lograr es que el Yoga nos resulte divertido, placentero. Que nos despertemos con ganas de hacerlo. Que no sea un trabajo obligatorio sino una elección de vida.

¿De qué forma lograrlo? Una de las maneras es, precisamente, con la variación responsable de la rutina, para que no se nos convierta en repetida y, con el tiempo, deje de asombrarnos. Otros consejos pueden enumerarse de la siguiente manera:

- Cambiar de ambiente cada vez que se crea necesario. Se pueden utilizar el dormitorio, el comedor, el living o aquel ambiente que menos se frecuente y que, por tal motivo, sea el menos aburrido de la casa.

- El yoga, aunque explora el interior más profundo de cada ser humano, no tiene motivos para ser llevado a cabo en soledad. Se puede invitar a amigas o amigos para practicarlo en conjunto. O ser uno mismo quien visite a otros y, de esa forma, también se estará cambiando de ambiente.

- No descartar las bondades de la música. Utilizar una melodía suave, tenue, tranquila, rítmica que no sólo ayude en la realización de cada postura, sino que permita, además, un estado de relajación. Cambiar de música cada día, para que tampoco se torne aburrida, repetida y tediosa.

- Intentar que el Yoga no sea un elemento extraño en nuestra vida. En el momento de practicar los ejercicios se está volcado por completo al Yoga. Antes y después hay que llevar una vida igualmente sana, pensar en el Yoga, leer sobre Yoga, no marcar un quiebre demasiado abrupto. De esta manera, se sentirán ganas de ejercerlo, y el Yoga no marcará un peligroso antes y después en el día. Se sabe: las ganas están enfrentadas con cualquier forma de rutina. Debemos pensar que el deseo es sinónimo de vida. No hace falta expresar cuál es la palabra que se asocia con aburrimiento o tedio.

Una vez que se consiga cierto grado de perfeccionamiento en las posturas anteriormente detalladas, acaso se descubrirá que se necesita algo más. Que ya no alcanza con aquellas primeras asanas que se practicaron durante semanas, meses o años. Tal vez ya se esté en condiciones de acceder a otras posturas, más complejas, difíciles pero posibles, siempre y cuando se haya pasado con éxito la prueba del inicio.

Pero no hay que apurarse. El Yoga no tiene prisa y tampoco desea que nosotros la tengamos. El Yoga no es una carrera; es imposible competir contra uno mismo. El Yoga es lo contrario al vértigo. Hay que ir despacio, tranquilo, disfrutando cada momento. Siempre habrá tiempo para lo demás. El escalón que viene siempre estará arriba del que ahora estemos pisando. Sólo tratemos de pisar con firmeza el noble suelo en donde nos encontramos.

Posturas difíciles

A continuación mostraremos, como quien espía aquellos niveles que el Yoga nos tiene deparados, algunas de las asanas catalogadas como difíciles. Insistimos: no se trata de que las imitemos en casa, pues es una jugada peligrosa, arriesgada, temeraria y que, si no estamos preparados o no tenemos un buen guía, saldrá ineluctablemente mal. La intención es que se conozca y se vea lo que una persona es capaz de hacer con su cuerpo, gracias al ejercicio constante y paciente de esta hermosa disciplina llamada Yoga.

Padma - Sarvangasana

Esta postura, también conocida como postura del loto sobre los hombros, fortalece los músculos abdominales y permite que la sangre fluya en mayor medida sobre la parte superior del organismo. Es aconsejable para aquellas personas que padecen de asma.

Postura de loto sobre los hombros

Supta Konasana

En castellano significa postura del triángulo abierto. Es ideal para prevenir dolores de lumbago y la artritis del torso. Combate, además, los dolores de cabeza.

Postura de triángulo abierto

Ustrasana

O postura del camello. Al flexionar totalmente la espalda, esta postura permite ejercitar la columna vertebral, descontracturándola. También ofrece beneficios al sistema digestivo.

Postura del camello

Mayurasana

Asana que recibe el nombre en español de postura del pavo real. Beneficia el funcionamiento del aparato digestivo. Es un paliativo para las personas con diabates.

Postura del pavo real

Kukkutasana

También conocida como la postura del gallo. Para muchos se trata de la postura más complicada. Pero, de acuerdo a las ventajas que otorga, vale la pena el esfuerzo. Mejora el accionar de los intestinos. Tiene una importante acción benéfica sobre los órganos abdominales. El aparato digestivo también se ve favorecido, al igual que el páncreas. Mediante esta posición, se logrará el estiramiento del tórax y se fortalecerán los músculos de brazos y hombros. Su semejanza con la postura del loto implica que además posea un efecto de relajación mental.

Postura del gallo

Ejercicios post-asanas

Aunque al principio las asanas puedan parecer serenas, capaces de ser llevadas a cabo con poco esfuerzo, más aún si las comparamos con las gimnasias tradicionales de Occidente en las cuales el desgaste físico es intenso (pensemos en correr sobre una cinta o en los ejercicios con aparatos), el Yoga también produce su propio y característico desgaste, especialmente en los principiantes.

Conseguir cierto grado de elasticidad física resulta trabajoso. También alcanzar los niveles de concentración y contemplación que el Yoga profesa. Cuando la práctica se haga constante y fecunda, el Yoga nos será más fácil y placentero. Mientras tanto, es recomendable la realización de algunos ejercicios de relajación, los que nos permitirán alejar los residuos de tensión corporal y mental que nos pudieron haber quedado tras la práctica de las rutinas.

Existen varios caminos para alcanzar la relajación. A continuación especificaremos sólo dos maneras, por considerarlas las más habituales, fáciles y efectivas.

Primer camino de relajación

1- Acostarse en una superficie dura, boca arriba, con los brazos y las piernas extendidas, pero no tensos, las palmas hacia arriba. Respirar naturalmente.

2- Relajarse. Concentrarse en cada una de las piernas y luego en cada brazo. Quitarles tensiones, hacer que parezcan elementos externos a nuestro cuerpo, como si estuvieran dormidos por propia voluntad. Los residuos de la mente no deberán alterar la relajación de cada uno de los miembros. Concentrarse también en la respiración. Intentar, como si se pudiera mirar dentro nuestro, apreciar el recorrido del aire, de qué forma va purificando y llenando los pulmones, primero en su parte inferior y luego en la superior, como si se llenara un vaso con agua.

3- Concentrarse en los detalles del cuerpo. Fijar la atención en manos, pies, dedos, cuello, boca, nariz, orejas y órganos genitales. Utilizar el mismo procedimiento mental de relajación del punto anterior para conseguir que cada parte del cuerpo esté en descanso.

4- La cabeza, que hasta ahora estaba mirando hacia arriba, dejarla caer sobre el costado que más agrade, en perfecto relax.

5- Sentir cómo todo el cuerpo descansa, podría decirse, bajo su propia voluntad. Pensar en nuestro cuerpo y en la respiración. Deshechar rápidamente cualquier pensamiento desagradable que pudiera invadirnos. Permanecer en este estado de paz durante algunos minutos. Acaso, las primeras veces que se realice este ejercicio nos quedaremos dormidos por no poder dominar semejante sensación de relajación y tranquilidad física y espiritual. Con el tiempo, sólo descansará el cuerpo y permaneceremos en un estado de conciencia que permitirá disfrutar de uno de los mayores placeres que ofrece el Yoga.

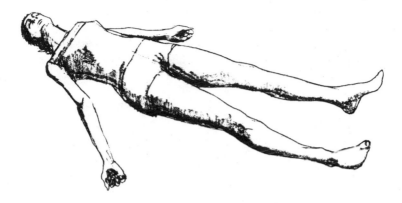

Primer camino de relajación

Segundo camino de relajación

El siguiente ejercicio tiene connotaciones muy profundas. En el comienzo de esta guía hemos explicado que el Yoga no es una invención del hombre, sino un descubrimiento de lo que el hombre siempre guardó en lo más hermoso de su ser. Dijimos que el Yoga nació con el hombre, y que el hombre albergó al Yoga en su propio interior, incluso, desde antes de nacer. En el vientre de una madre, adoptamos una posición de tal relajación que el Yoga ha sabido aprovecharla para sus ejercicios. Como no podía ser de otra manera, se denomina Postura del niño. Aquellas personas que la practican asiduamente sostienen que sienten un inmenso placer ya que les recuerda, a nivel inconsciente, el momento en que estaban en el útero materno.

Esta postura, además, es considerada una asana para ser utilizada dentro de las rutinas de ejercicios, independientemente de las técnicas de relajación. Aconsejamos emplearla durante la relajación, o sino en el final de cada rutina, puesto que su fin esencial consiste en aliviar la espalda. Sabemos que todas las asanas se basan en una posición firme y recta de la columna vertebral. Esto, al principio, puede provocar tensiones en ese sector del cuerpo. Lo que la postura del niño consigue es la eliminación de esas tensiones y, en consecuencia, la tan ansiada relajación. El procedimiento es muy simple:

1- Sentarse con la cola sobre los talones. Respirar con normalidad.

2- Llevar el pecho hacia los muslos hasta que se consiga tocarlos. Dejar caer los brazos, hacia atrás, acompañando la postura de la piernas. Relajar la cabeza, el cuello y los hombros. La frente, si se consigue inclinarse a fondo, deberá tocar el suelo.

3- Relajarse. Sentir la respiración. Descansar en esa postura. Llevar todo el peso del cuerpo hacia abajo. Las piernas y el piso harán de base. La espalda quedará levemente inclinada y alejada de cualquier tipo de tensión y rigidez. Permanecer así durante algunos minutos.

Postura del niño

Consejos para utilizar
en ambos caminos de relajación

- Iluminar tenuemente el ambiente en que se realicen los ejercicios de relajación.

- Una música suave puede ayudar.

- El aroma de un sahumerio también puede ser un complemento adecuado para obtener un alto grado de abstracción.

- Nunca se debe olvidar que nuestra mente debe estar libre de los pensamientos desagradables. Dejar fluir las preocupaciones. Intentar que los elementos contaminantes de la vida moderna no nos invadan. Concentrarse en el relajamiento del propio cuerpo y en el sonido rítmico y suave de la respiración. Aproximarse todo lo que se pueda al maravilloso estado de pureza y sana ingenuidad que teníamos al nacer.

- No suspender los ejercicios de relajación. Hacerlos, al menos, dos veces por día, durante quince minutos por vez, incluso hasta si no se ha tenido tiempo de practicar nuestra rutina de asanas. Aunque los ejercicios de relajación sean empleados como consecuencia directa de la rutina de asanas, su uso independiente de ninguna manera resulta contraproducente.

Capítulo 8

La meditación

El auto-conocimiento

Existe un aforismo oriental que dice: "Un hombre sólo posee aquello que no puede perder en un naufragio". Con esta máxima es conveniente empezar a hablar en detalle de la meditación que constituye un elemento fundamental en la práctica del Yoga.

Conocernos a nosotros mismos no significa explorar o ahondar en aquellas zonas superficiales y ocultas que nos dominan, como si fuéramos viajeros de un recorrido sinuoso e infinito por la inacabable totalidad de nuestro ser. Es todo lo contrario. Conocernos es despojarnos.

Pensemos en una ciudad a la que no le falta ninguno de los ingredientes que componen las metrópolis actuales. Pensemos, acaso, en nuestra propia ciudad. Tenemos los edificios, las chimeneas, las antenas y cables que cubren el cielo, los automóviles, el humo, los ruidos como rugidos, la prisa, el vértigo, la fatiga. Por culpa del acostumbramiento nos parece normal convivir —o sobrevivir— con todos estos elementos. Nos creemos parte de ellos. Nos sentimos seguros y protegidos coexistiendo en y con cada uno de los componentes de nuestra metrópolis. Hasta somos capaces de creernos puros y sanos sin percatar que tenemos llenos de humo los pulmones y el espíritu.

Ahora bien, pensemos cómo serían las ciudades si les quitáramos, aunque sea por un rato, cada edificio, cada coche, cada rugido. Sería una ciudad limpia. Una ciudad despojada y despejada. Una ciudad pura. Un prado verde con un cielo límpido.

Entonces, ¿cómo se hace para conocernos en profundidad? Eliminando lo que no sirve, lo que nos hace daño, lo que no es esencial del ser humano, lo que está en contra de la armonía del universo que nos abarca, proyecta y contiene. Conocernos es eliminar todo sufrimiento a partir de las técnicas de meditación, la base fundamental del budismo que el Yoga ha adquirido para un beneficio integral del practicante. Para despojar y despejar nuestra alma de los peligrosos residuos que nos contaminan desde el instante sagrado en que nacemos.

Los Mantras

Antes de detallar la técnica a emplear en los ejercicios de meditación, es adecuado detenerse un momento en lo que para la filosofía oriental constituyen sagradas oraciones: los Mantras.

Se denomina *Mantra* a una palabra sagrada, una alabanza, una plegaria, una idea. Son versos que deben expresarse durante los ejercicios de meditación.

Los Mantras aparecieron en la India hace tantos años que habría que remontarse a siglos anteriores al nacimiento de Cristo. Precisamente, los Mantras guardan relación con los salmos bíblicos del cristianismo. Para los antiguos monjes orientales, estas oraciones otorgaban una fuente de serenidad y paz que les permitía acceder a lo más íntimo y profundo de su ser.

Existen diversos Mantras. Pero a diferencia de los rezos de Occidente, en el Yoga no es tan importante lo que se dice sino cómo se lo dice. La fonética importa más que el contenido. Se trata de concentrarse en el sonido de las palabras, en vocalizar correctamente para alcanzar cierto grado de musicalidad fundamental en los ejercicios. Esta es, acaso, la mayor diferencia entre las oraciones cristianas y las orientales.

En Occidente se ha hablado mucho, a veces con ironía y desdén, sobre la palabra *Om*. A esta sílaba, en Oriente, se la relaciona con el Absoluto. Es considerada la semilla de todos los sonidos. Sería algo así como la síntesis de todos los sonidos del universo. En esta pequeña palabra de apenas dos letras se concentra toda la sabiduría que existe en el infinito.

El Om no es precisamente un Mantra. En verdad, el Om abarca a todos los Mantras. El Om debe ser mencionado antes y después de la pronunciación de los Mantras. También es importante la fonética. Veremos a continuación cómo debe pronunciarse:

1- Colocar la boca en posición de U, como si se quisiera pronunciar esa vocal.

2- Emitir, luego, la vocal A, a través de las cuerdas vocales. Se verá que el sonido que se escuchas es como una O, aunque con resonancias distintas.

3- Mantener la pronunciación del O durante algunos segundos. Se verá que la letra M surgirá sola, por repercusión, como un eco.

4- Claro que no se trata solamente de emplear una pronunciación correcta. Cada vez que se mencione la palabra Om, o un Mantra, recordar que se está emitiendo palabras sagradas, de recogimiento. Concentrarse, al decirlas, en nuestra propia religiosidad, sin importar la religión de que se sea, se crea o no se crea en un Dios todopoderoso.

Mantras para aprender en casa

Existen varios Mantras, dados a conocer en distintas épocas. Algunos son antiquísimos, tan remotos que nacieron con el mundo. Cada Mantra obedece a un fin determinado. Así, en la India, existe una poderosa fe en las virtudes de uno de los Mantras más antiguos: *Om mani padme hum*, que es utilizado para el amparo, la protección y para alcanzar la tranquilidad interior.

Los Mantras tienen poco de mágico y mucho de religiosidad. Hemos dicho que su contenido carece, en verdad, de real importancia. El estado del individuo que lo pronuncia accede a niveles muy altos de fe hacia Dios y hacia su propia naturaleza milagrosa.

Pero para que el Mantra sea capaz de originar semejante estado de religiosidad es necesario estar en la postura y con el nivel de concentración y contemplación adecuados. Es decir, son efectivos si los encuadramos en un contexto que sólo el Yoga bien practicado puede ofrecer. De lo contrario, son sólo sílabas sin ningún valor en cuanto a los fines que deseamos alcanzar.

Otros Mantras posibles:

• ¡*Om mamah shivaya / shivaya namah* ɷ)ı

- *Ashmat gurubio namahy / ashmat gurubio namah*

- *¡Om mam sri-yama namah!*

Estos *Mantras* son utilizados como salutación a aquellos dioses, según la mitología hindú, que nos ayudarán en la tarea de la meditación. Se puede no creer en otros dioses que no sea aquel que oficializa la religión a la que pertenecemos, pero lo que nunca se puede hacer, si es que se anhela obtener los resultados previstos, es pronunciar los *Mantras* con desdén y falta de religiosidad, entendiendo a la religiosidad no como el credo que se profesa sino como una humilde actitud de agradecimiento ante el milagro de la vida.

Las técnicas de la buena meditación

Todas las religiones poseen sus ejercicios de meditación. Las personas extremadamente ortodoxas pueden permanecer semanas o meses encerradas en un convento, bajo la guía de su oficiante, practicando tales ejercicios con la paciencia de un monje.

Nosotros no pretendemos que los ejercicios de meditación que ahora detallaremos sean elaborados con semejante grado de devoción y dedicación exclusiva, pero sí con la misma pasión y fe en sus resultados.

Dijimos que el Yoga no es una religión. Por lo tanto no debe ser observada como si un maestro de Yoga fuera un sacerdote y los alumnos sus apóstoles. Sin embargo, cuando el Yoga se inmiscuye en los maravillosos terrenos de la meditación, parece imposible deshacerse de ciertas creencias religiosas de Oriente.

Las técnicas que enseñaremos no están elaboradas con el objetivo de que sean llevadas a cabo en algún monasterio, mientras permanecemos en una cuarentena de fe y abdicación exclusiva al Señor. Por el contrario, son técnicas para practicar en casa, o en un alto en el trabajo, alejadas de cualquier manifestación fanática. Al igual que las asanas, se requiere de paciencia y de un período de aprendizaje que varía según cada persona.

Con respecto a los resultados que la meditación nos regalará, no debemos esperar grandes revelaciones, como, por ejemplo, la obtención de poderes sobrenaturales o las respuestas a los grandes interrogantes de la humanidad. Dijimos que la meditación alienta, justamente, a que esas inquietantes preguntas desaparezcan de nuestras conciencias, que no les demos mayor importancia, que despejemos la mente y el espíritu para poder vivir sin miedos, sin tensiones, más puros, más sanos. Es decir, para aprender a vivir sin sufrimiento, en el aquí y el ahora.

Al igual que en los ejercicios de relajación, otra vez una asana se transforma en la base, en el sostén, de otras técnicas relacionadas con el aspecto mental. Se trata de la postura clásica del loto, que ya hemos detallado en la sección de asanas. Pero vayamos por partes y con tranquilidad. Si el deseo que se tiene es volcarse de lleno a los ejercicios de meditación, pues, entonces, antes de adoptar la postura del loto y los posteriores pasos que se tendrán que transitar, es conveniente arrancar con estas sugerencias, a modo de preparación:

1- Acostarse boca arriba sobre una superficie dura, pero cómoda, a la manera de la postura adoptada para uno de los ejercicios de relajación.

2- Concentrarse en el cuerpo. Fijar la atención en aquellas zonas de nuestro físico que estén bajo tensión. Con una concentración muy acentuada sobre cada parte del cuerpo se logrará no sólo localizar los puntos de tensión, sino, también, apartarlos. Utilizar para calmar las molestias, los mecanismos que se emplean en los ejercicios de relajación.

3- Ahora, colocarse de pie. Cerrar los ojos. Si se siente que el cuerpo tambalea un poco, seguir con suavidad ese movimiento, como si se danzara en silencio. Al cabo de pocos segundos, el movimiento se detendrá ajeno a la propia voluntad.

4- Respirar profundamente, utilizando el método Pranayama que ya hemos explicado en la sección de respiración de la parte práctica de este libro.

5- Nuevamente, acostarse. Seguir con los ojos cerrados. Relajarse. Colocarse en la posición más cómoda que se encuentre. Respirar en forma normal. Sentir al aire pasar por el organismo. Concentrarse en nuestro interior. Intentar no pensar en otra cosa que no sea el propio milagro de nuestro cuerpo recibiendo la energía.

6- Continuar con los ojos cerrados. Repasar mentalmente cada parte del cuerpo. Observar que no queden residuos de tensión.

Además de los consejos anteriores, es importante que se preste atención a las siguientes recomendaciones antes de practicar los ejercicios de meditación:

- Si se acaba de terminar las rutinas de asanas, se puede comenzar con los ejercicios de meditación adoptando la postura del loto sin necesidad de practicar ningún ejercicio previo, puesto que los músculos están lo suficientemente tonificados para acceder a cualquier tipo de postura.

- Si, por el contrario, lo único que se quiere es practicar los ejercicios de meditación y no las rutinas de posturas físicas, lo que conviene es que se realicen las técnicas de precalentamiento a las asanas que ya hemos explicado.

- Si bien los ejercicios de meditación tienen su eje en lo mental y espiritual, nunca debe olvidarse que el hecho de necesitar obtener una postura corporal determinada nos obliga a no empezar con el cuerpo en frío.

- Por lo tanto, para arrancar con los ejercicios de meditación es fundamental que nos encontremos relajados, libres de tensiones corporales y preocupaciones mentales y con la musculatura caliente. Si algunos de estos puntos fallan, fallarán también los óptimos beneficios a los que se podría aspirar a través de la meditación.

Loto de Meditación

La postura clásica del loto consta de tres etapas. En los capítulos dedicados a las asanas ya hemos explicado, con detenimiento, cada uno de los pasos, junto con las otras variedades del loto. Sin embargo, para evitar el fastidioso trabajo de retroceder varias páginas hasta encontrar la postura indicada, reproduciremos, a continuación, la secuencia del loto clásico:

1- Sentarse. Doblar las piernas de manera tal que queden cruzadas. Los pies deberán estar encima de ambos muslos. Las rodillas, tocando el suelo. Así, los talones estarán a ambos lados del ombligo. Relajar los brazos y respirar regularmente.

2- Seguir en esa posición. Mantener la espalda recta. Con las manos tocar ambos pies, como si se quisiera darles un masaje.

3- Continuar en la misma postura. Relajar los brazos y dejar caer las manos hacia ambos costados, tocando el piso, como si pesaran.

Llegado este punto, comenzaremos a explicar las técnicas que son propias de la meditación, retomando los ejercicios en el punto número 4, a modo de continuidad con la secuencia anterior del loto:

4- Permanecer en esta posición algunos segundos. Cerrar los ojos. Fijarse que no haya quedado ninguna clase de residuos de tensión física y mental. Respirar profundamente. Pensar en el aire que se introduce en el organismo. Llenar los pulmones de la energía que nosotros mismos estamos fabricando. Recordar que, al igual que un vaso al que se le vierte agua, primero se deberá llenar la parte inferior de los pulmones y, de esta forma, ir subiendo hasta completarlos en su totalidad, de manera tal que se pueda utilizar toda la capacidad pulmonar.

5- Ahora, concentrarse en las manos, las cuales estaban apoyadas en el piso. Levantarlas y colocarlas sobre los muslos, cerca de las rodillas y enfocando al cielo. Las manos deberán estar abiertas, pero relajadas, para nada tensas o rígidas. Es importante detenerse en este punto: en muchas fotografías o dibujos, se habrá observado que aquellas personas que practican el loto de meditación tienen juntos los dedos índice y pulgar de cada mano. En verdad, lo que estas personas hacen es ayudarse con los dedos de sus manos para contar cada uno de los cinco Mantras que deberán mencionar. Lo conveniente, pues, es que las manos estén relajadas, con los dedos levemente separados y siempre mirando hacia arriba. Nuestro cuerpo tiene que estar, en cada uno de sus detalles, libre de tensiones. En verdad, deberíamos olvidarnos de nuestro cuerpo, despreocuparnos, como si lo único que nos importara fuera nuestra mente y, en consecuencia, nuestro espíritu. Al juntar, equivocadamente, los dedos de las manos, nuestra atención se deposita, de manera irremediable, en los dedos y en el conteo de cada Mantra, otorgándole mayor importancia al número de oraciones realizadas que al verdadero valor que traen consigo. No importa si se mencionan cuatro, cinco o seis Mantras. Lo importante es que podamos concentrarnos en la fonética y en su valor sagrado.

6- Ahora abrir los ojos, pero nuestra mirada deberá adoptar una característica diferente de la habitual. La mirada deberá ser contemplativa y, más aún, compasiva. Para eso, nunca olvidar que el ejercicio que se está practicando es un acto de fe. Enfocar con la mirada hacia algún punto que se encuentre en el piso, al menos, dos metros delante nuestro. Pero la mirada no debe detenerse en ese punto: se debe intentar hacer como si se mirara un poco más allá del punto elegido. Se notará cómo se nubla un poco la vista. Recordar tener una actitud compasiva y de contemplación, no sólo hacia el propio ser, sino también hacia todo lo milagroso que nos rodea. A partir de esta actitud, se será humilde ante la vida y agradecido por estar vivo.

7- Llegó el momento de pronunciar los Mantras. No importa cuál se elija, sino cómo se lo pronuncie y qué valor se le otorgue. Se debe creer en el Mantra que se emite de la misma manera en que se crees que se está vivo. Recordar que primero se debe mencionar el Om en la forma detallada páginas atrás, luego, repetir las veces que sea necesario algún Mantra, por ejemplo, el siguiente: Mani padme hum / bema tare sendara hri sarva. La pronunciación debe ser en voz alta, pero tenue, suave. La repetición del Mantra tiene como fin corregir ciertas imperfecciones hasta acceder a un grado de concentración importante. Es decir, al pronunciar el primer o segundo Mantra vamos a estar pendientes del sonido de nuestra voz, de haber memorizado correctamente la oración y de diversas cuestiones formales. Mediante la reiteración, iremos olvidándonos, paulatinamente, de todo lo superficial y el Mantra saldrá naturalmente, puesto que lo que ha comenzado a importarnos tiene que ver con cuestiones más profundas. Debemos dejar de mencionar el Mantra cuando sepamos en nuestro interior que hemos alcanzado la concentración y contemplación adecuadas. Sólo uno mismo lo sabrá. Por lo tanto es ridículo limitarse a la pronunciación de cinco Mantras, pues el número de pronunciaciones depende de factores más subjetivos que matemáticos. Cuando se finalice de decir el Mantra, volver a pronunciar el Om.

8- Si al finalizar los Mantras se nota que se está algo desconcentrado, volver a repetirlos. Intentar con otras oraciones. Esforzarse hasta alcanzar un óptimo estado de relajación y concentración.

9- Cuando se haya arribado al estado de plenitud que los ejercicios de meditación posibilitaron, permanecer así todo el tiempo que se desee. Disfrutar. Pensar, meditar, cavilar sobre todo lo bueno y grande que se está sintiendo. Llegará el momento en que ese estado tan cercano a la perfección en el que nos encontramos, irá desapareciendo de a poco. Se esfumará sin remedio y, al principio, lamentaremos no poder retenerlo. Pero no hay que deprimirse. Repitiendo los ejercicios de meditación se volverá a obtener paz, pureza y comprensión.

10- Para finalizar los ejercicios, volver, lentamente, a tomar conciencia de cada parte del cuerpo. Las piernas, los brazos, las manos, cada parte de nuestro físico dejará de tener la posición en la que se encontraba. Acostarse boca arriba. Estirar las piernas y los brazos. Relajarse. Respirar, con normalidad. Luego pararse y retomar las actividades cotidianas.

Existen escuelas que a los ejercicios de meditación basados en la postura clásica del loto le realizan algunas cuiles modificaciones. Una de estas escuelas, provenientes de una mezcla de las culturas tibeta nas y budistas, está basada en una postura similar a la del loto, denominada posición sedente. Esta postura se compone de siete "gestos" fundamentales:

1- El primer gesto es sentarse en la posición del loto clásico.

2- Las manos no deberán mirar al cielo; colocarlas sobre las rodillas, con las palmas hacia abajo, haciendo que reposen cómodamente.

3- La columna vertebral tendrá que estar en perfecto equilibrio, pero no en una posición tan rígida como lo requieren las asanas.

4- Echar el cuello levemente hacia atrás, de manera tal que la cabeza permanezca apenas hacia delante.

5- Al igual que en el ejercicio anteriormente detallado, los ojos deberán estar enfocados hacia abajo, con una mirada compasiva.

6- La boca estará ligeramente entreabierta y la mandíbula relajada.

7- El último gesto: la punta de la lengua tendrá que tocar ligeramente el borde del paladar, detrás de los dientes. La lengua, así, se curvará levemente hacia atrás.

8- Luego, sí, todo lo concerniente a los Mantras no sufrirá modificaciones.

Tanto el ejercicio clásico de meditación basado en la postura del loto, como esta última variación basada en la posición sedente son igualmente efectivas para lograr el tan ansiado estado de meditación. De todas formas, no difieren en lo esencial. Una técnica no es mejor que la otra; lo importante es con qué grado de responsabilidad sean llevadas a cabo.

Se habrá notado que estos ejercicios van desde el aspecto físico al mental. Recorren un camino desde el exterior hacia el interior. Pueden repetirse dos o tres veces al día, interrumpiendo cualquiera de las actividades cotidianas que se realicen, pero tomando las precauciones físicas y mentales, ya sea de calentamiento y de preparación, que enumeramos anteriormente.

Sin embargo, es preciso señalar que el abuso de esta técnica es contraproducente. Es tan agradable el estado al que arribamos que, en ocasiones, deseamos repetir abusivamente los ejercicios, hasta que se nos convierten más en una adicción que en una técnica a la que somos capaces de dominar.

Una de las preguntas más frecuentes de aquellas personas que son principiantes en este tipo de ejercicios es por qué el estado de paz que pudimos conseguir se termina desvaneciendo como el agua entre los dedos. Esta sensación de desprendimiento, de desgano, de abandono, al comienzo provoca desconcierto, impotencia, tristeza y ansiedad. Pero hay que tomarlo con calma. Sucede que es imposible vivir todo el tiempo en estado de meditación. Estos ejercicios son apenas una herramienta a la que podemos acudir en algunas situaciones de necesidad. El fin es comprender que la vida puede ser vista de otra manera. El objetivo primordial es contemplar el universo y nuestra propia existencia de forma tal que los sufrimientos grandes y pequeños desaparezcan. Cuando nos convirtamos en casi expertos en la técnica de meditación, dejaremos de añorar aquel estado de paz al que nos acercamos, puesto que esa paz nos irá llenando de a poco, cotidianamente y sin que nos demos cuenta. Algún día comprenderemos que somos mejores personas, más sanos, más buenos y más inteligentes. Nos despertaremos una mañana con renovadas ganas de vivir, como si levantáramos las persianas y miráramos al mundo por vez primera. El Yoga, a través de la meditación, y de cada una de sus maravillosas facetas, nos permite mirar el mundo de otra manera. Nos enseña a ver.

El yoga nos hace comprender que el mundo es más ancho que nuestras propias ambiciones. Que nuestro yo de nada sirve si no va acompañado de otros yo que se hermanan y que conforman el germen de la vida. El único acto egoísta del Yoga es cuando alienta al trabajo profundo de nuestro cuerpo, mente y espíritu. En ese momento trabajamos en soledad, aunque estemos en compañía. Miramos a nuestro interior, aunque estemos rodeados de otras personas. Pero a partir de este esfuerzo por mejorarnos y conocernos, comprendemos en toda su magnitud el mundo que habitamos, y transformamos ese acto egoísta inicial en generosidad por todo lo que nos rodea y nos justifica. Es decir, sólo es aconsejable cierta abstracción de cada etapa que nos depara el Yoga si sabemos de antemano que el aprendizaje tiene un fin comunitario, global, universal, más allá del aspecto concerniente a cada individuo.

Así, los ejercicios de meditación resultarán, en apariencia, los que demandan un estado de mayor abstracción y ensimismamiento hacia quienes los practican. Pero los resultados distan mucho de ser egoístas o narcisistas. Se ha dicho y se repite: la meditación y todo el resto del Yoga nos hace mejores personas y, por lo tanto, es el mundo en el que vivimos el que se ve mejorado. He aquí el enorme acto de generosidad y nobleza.

Epílogo

Hay quienes piensan al universo como a un caos. Algo así como un laberinto anárquico, desorganizado, incoherente, azaroso. Otros prefieren imaginar que forman parte de un cosmos armonioso, equilibrado, ordenado. Sólo nosotros tenemos el poder de decidir en qué universo queremos vivir. Y mejor aún: ¿por qué no pensar que cada uno de nosotros es el universo? El infinito, la eternidad, el misterio, las preguntas, las respuestas, la luz, la oscuridad, la vida, la muerte, cada latido, cada paso, las palabras, una sonrisa, la lágrima, el amor, la desolación, todo, absolutamente todo, forma parte de nosotros. Todo eso somos nosotros. Somos nuestro propio universo. El universo entero es nosotros. Y de nosotros depende vivir en un caos o en la armonía. El Yoga nos ayudará a tomar esa decisión.

Ya hemos dicho que el Yoga significa la unión entre cuerpo, mente y espíritu. El Yoga busca que estos tres elementos que conforman y justifican al ser humano se unan en armonía, en sano equilibrio. El Yoga brinda una estructura en la cual nos podemos desarrollar. Por eso, el Yoga también puede ser definido como la disciplina que ordena el caos de cada persona.

El Yoga no deja nada librado al azar. Se trata de una disciplina completa que no sólo mejora todas las facetas del ser humano; conforma a cada ser humano. El Yoga no es una técnica importada. Cada uno de nosotros puede tener la fuerza y la voluntad de extraerla de las propias entrañas para encauzar nuestro universo interior y exterior.

Nadie debería hacerse acreedor de esta disciplina. Es cierto que en Oriente constituye una forma de vivir. Pero no es exclusiva de Oriente, sino de cada ser humano, sin importar el lugar y la era de nacimiento. Puede decirse que con el Yoga nacemos de nuevo. El Yoga bien hecho marca un antes y un después.

Bienvenido al Yoga.